Rollercoaster Loulou

Andere boeken in deze reeks

Leen Vandereyken

Roller-coaster Loulou

en de grote gemene realiteitstheorie

Clavis

Leen Vandereyken
Rollercoaster Loulou en de grote gemene realiteitstheorie
© 2010 Clavis Uitgeverij, Hasselt - Amsterdam - New York
Omslagontwerp: Studio Clavis
Trefw.: vriendschap, liefde, zelfstandigheid
NUR 283
ISBN 978 90 448 1410 1
D/2010/4124/182

www.clavisbooks.com

Identity file in progress

(Goede voornemens hoeven niet per se op Nieuwjaar te beginnen)

STATUS OP 29 MAART: Het einde is nabij.

FILMS DIE IK NOG WIL ZIEN: *What the Bleep Do We Know*. Volgens Michiel en andere wiskundigen op school is het een must see voor fysica-adepten. Misschien eens naar kijken voor het fysica-examen in plaats van een hele middag te studeren. Andere films: *Breakfast at Tiffany's, Casablanca, Gigi, Gone with the Wind*. Als ik een echte Hollywooddiva wil worden, kan ik maar beter mijn klassiekers kennen.

BOEKEN DIE IK NOG MOET LEZEN: *Robinson Crusoë* en *Lord of the Flies*. Volgens meneer Willems, onze leraar Engels, zijn die iets voor mij. Hij weet dat ik een zwak heb voor Remy uit *Alleen op de wereld*.

SPORT DIE IK EEN TWEEDE KANS OF GEWOON EEN KANS GEEF: Yoga is hot, maar ik blijf het iets vinden voor gestresseerde moeders die hopeloos op zoek zijn naar de innerlijke rust die ze er bij de geboorte van hun kind hebben uitgeperst. Misschien heb ik een fout beeld van yoga, maar tante Tilly en mama zijn dan ook mijn enige referenties.

Een andere optie is de trap nemen in plaats van de lift. Laat ik daar al mee beginnen.

METAMORFOSE DIE IK WIL ONDERGAAN: Borstimplantaten. Mijn groeihormonen lijken op die plaats niet te werken.

IETS WAT IK NIET DURF EN TOCH GA DOEN: Alleen op het vliegtuig richting Moskou stappen om Thomas nog eens te kunnen kussen. Ik ben bang dat ik op het verkeerde vliegtuig zal stappen, hoewel dat in de praktijk zo goed als onmogelijk is. Maar het zou net mij moeten overkomen.

NIEUW STOPWOORDJE: O my God! Of: Chill. Ik moet nog uittesten wat het beste bij mij past.

NIEUWE OPENINGSZIN: 'Volgende maand wil ik een marathon achteruit-lopen met een nieuw paar borsten, of met jou een date hebben. Wat is het meest haalbare, denk je?' Of: 'Zal ik je eens iets verklappen, ik zou met jou in een frambozentaartje willen happen.'

ALTIJD IN MIJN TAS BIJ ME HEBBEN: Schone papieren zakdoekjes en tandenstokers!

VERVELENDE GEWOONTE DIE IK WIL AFLEREN: Overal post-itbriefjes moeten hangen om op tijd mijn zakgeld te krijgen, hoewel dit meer mijn ouders aanbelangt. Maar ik moet ergens beginnen, want de aankoop van post-itjes weegt zwaar op mijn zakgeld.

VERSLAAFD AAN: Koffie of café frappé, naargelang het weer. En Facebook.

GEWOONTE DIE IK WIL AANLEREN: Een volwassener handschrift gebruiken.

BEAUTY MUSTHAVE: Een plaksnor.

FASHION MUSTHAVE: Een tijgerlegging, een glanslegging, een pothoed en uiteraard pumps. Ik heb besloten om alleen nog hakken te dragen, zodat ik volwassener overkom. In uiterste nood draag ik nog ballerina's, en als het echt niet anders kan sneakers.

WAT IK ZEKER NOG WIL DOEN: Kussen. Ik heb meer gekust toen ik vrijgezel was. En een cursus liplezen volgen, zo kan ik Hind en Violet beter begrijpen tijdens de les. Bovendien is het milieuvriendelijk, omdat we dan geen papiertjes meer hoeven door te geven.

Maandag 29 maart

STATUS: Als ik de essentie van fysica begrijp, snap ik dan ook de essentie van een relatie?

Van: Thomas Swaelens <t.swaelens@hotmail.com>
Datum: 28 maart 22:47
Onderwerp: Surprise!
Aan: Loulou Roosenbroeck <loulou.roos@hotmail.com>

Hoi babouchka,

Ik heb geweldig nieuws! Zaterdag vliegen we naar Brussel en kom ik
je schaken. Mijn ouders en ik gaan een week bij mijn tante in Brussel
logeren! Ik heb niets gepland, omdat ik een hele week bij jou wil zijn.

From Russia with love
T.

PS: Heb nog een cadeautje voor je ;-)

Hind en Violet juichen van pure blijdschap voor mij, en waarschijnlijk
ook wel van de ontlading van het examen Nederlands. Gelukkig viel het
examen goed mee, dat denk ik toch. Af en toe dwaalden mijn gedachten
wel af naar Thomas, dus ik hoop dat ik geen cruciale vragen heb gemist.
'Babouchka!' kirt Hind luid, en we schieten allemaal in de lach.
Sinds Thomas in Moskou woont, noemt hij me babouchka. Russische
poppetjes waarin andere Russische poppetjes verscholen zitten. Ik weet
niet of hij me als het eerste en het dikste poppetje ziet, of als het laatste en
fijnste in de rij.
Hind en Violet vinden het allebei zo romantisch dat Thomas en ik nog
steeds bij elkaar zijn. En nu komt hij terug, speciaal om mij te zien. Toen
ik vanochtend nog even mijn mails controleerde, sprong ik een gat in de
lucht. Meteen probeerde ik met hem te skypen, maar hij reageerde niet.
Het is soms moeilijk met het tijdsverschil en als het wel lukt, roepen we
om de drie zinnen dat het geluid of het beeld wegvalt.
Ik was bang dat we elkaar nog tot de grote vakantie zouden moeten
missen, wat een echte marteling geweest zou zijn. Gelukkig dat ik zijn mail
vanochtend pas las en niet gisteravond toen ik aan het studeren was voor
het examen Nederlands en tegelijkertijd ook de tekst van mijn auditie onder handen nam.

Ik ben helemaal in de wolken en wou dat de paasvakantie nu al begon, maar ik moet nog twee dagen op mijn tanden bijten en dan is het zover: twee weken vakantie! Eerst meespelen in een kortfilm en daarna een hele week samen zijn met Thomas. Jammer dat ik voor de kortfilm eerst nog auditie moet doen. Max trouwens ook. Het is eigenlijk dankzij hem dat ik mee mag doen. De filmmakers deden een oproep op zijn school, ze zochten dringend twee jongeren om mee te spelen nadat twee acteurs op het laatste moment afgezegd hadden.

Toen ik de tekst en de rolbeschrijving in mijn mailbox kreeg, wist ik meteen dat het een makkie zou zijn. Het verhaal speelt zich af in de showbizzwereld en er is een moord gebeurd. Helemaal op mijn lijf geschreven, want die wereld ken ik als geen ander en met mijn dramaqueencapaciteiten kan ik vast en zeker de juiste blik naar de camera werpen als ik over de moord hoor.

Over vijf dagen kunnen Thomas en ik weer in elkaars armen vliegen. Eindelijk zal ik weer weten hoe hij ruikt en vooral hoe het voelt om te kussen en gekust te worden, want dat lijkt al een eeuwigheid geleden.

'Ha, soms ben ik wel jaloers op je, Lou,' zucht Violet. Met z'n drieën zitten we even af te kicken van het examen met een café frappé voor mij, een chocolademilkshake voor Violet en een huisgemaakte ijsthee voor Hind.

'Waarom? Je hebt toch Matteo?' Ik vouw ondertussen het uitgeprinte mailtje weer op en stop het in het binnenzakje van mijn handtas. Vanochtend was ik zo euforisch dat ik ook Hind en Violet ermee wilde verrassen.

'Ja,' zegt Hind verontwaardigd, 'jij hebt tenminste een lief dat je elke dag ziet.'

'Om de twee dagen,' verbetert Violet haar.

'Maar je hebt een lief,' benadrukt Hind, iets venijniger deze keer.

'Alleen weet ik soms niet meer of het routine is met Matteo, of dat we elkaar nog echt graag zien,' legt Violet uit. 'Door een lange tijd van elkaar gescheiden te zijn, weet je pas echt wat je mist.' Violet klinkt radeloos.

'Alles nog goed tussen jou en Matteo?' vraag ik bezorgd. Violet is de optimist van ons drieën, de honkvaste. Degene die gelukkig is met simpele dingen, die trouw is aan zichzelf en nooit uit de band springt. Ze doet haar best op school en op de sportclub, is tevreden met het gemiddelde en neemt deel aan loopwedstrijden voor het plezier en niet voor de overwinning. Je verwacht geen storm in het leven van Violet, alleen kabbelend blauw water onder een stralende zon.

'Ja, hoor,' knikt Violet. 'Alleen vraag ik me soms af of het tussen Matteo en mij zal blijven duren.'

Hind en ik werpen een bezorgde blik naar elkaar. Wat is er met Violet aan de hand?

'Moet jij je regels krijgen?' vraagt Hind.

Violet schudt het hoofd.

'Ik ben vijftien jaar.' Ze staart naar haar milkshake terwijl ze zachtjes met haar rietje roert. 'Het kan toch niet dat ik nu al de man van mijn leven ben tegengekomen?'

Zowel Hind als ik antwoorden niet. Ik zou niet weten wat ik moet zeggen. Soms botst het ook in mijn hoofd als ik eraan denk dat Thomas er voor de rest van mijn leven zal zijn. Kan dat?

'Waarom niet?' Hind vindt dus dat het kan.

'Ja, waarom niet?' beaam ik, meer om mezelf gerust te stellen.

Violet begint alweer te lachen. 'Het is waar, mijn ouders zijn tenslotte ook al samen sinds hun zeventiende.' Violet klinkt opgelucht en daarmee is het ook opgelost. Af en toe een bevestiging dat ze goed bezig is en ze kan er weer tegenaan.

'Ik ga vertrekken.' Hind drinkt haar laatste slok thee op. 'Even fysica erin stampen en dan kan ik me voorbereiden op mijn computerkamp.' Haar ogen blinken van verlangen. De volgende twee weken gaat Hind een computercursus volgen. Ze wil de nieuwe Steve Jobs worden. Je weet wel, die man van die mooie Apple-computers. In ieder geval is ze al goed op weg om een geek te worden. Tegenwoordig doet ze niets anders dan naar lezingen over technologie en vrouwen gaan. Violet en ik zijn een keertje mee geweest, maar het enige wat wij er leuk aan vonden, waren de goodie-bags en de hapjes achteraf. Van al het overige verstond ik nauwelijks iets.

'Pff, fysica.' Als ik er nog maar aan denk, heb ik al geen zin meer om eraan te beginnen.

'Komaan, Lou, nog eentje en we zijn ervan af.' Violet probeert me aan te moedigen, maar ze heeft er zelf moeite mee. Fysica is nu niet bepaald ons sterkste vak en dat is nogal licht uitgedrukt.

We nemen onze spullen, geven elkaar nog een kus en spreken af om vanavond even te chatten als ontspanning. Terwijl we allemaal onze eigen weg wandelen, flitst de vraag van Violet door mijn hoofd, of Matteo de man van haar leven is. Het lijkt alsof Violet iets in mij heeft losgemaakt. Op weg naar huis denk ik de hele tijd aan Thomas. Komt hij ooit nog definitief terug? Moet ik naar Moskou verhuizen? Ik hoop van niet, ik heb een bloedhekel aan koude temperaturen en ik vloek nu al op mijn Duits, laat staan dat ik nog Russisch moet studeren. Hoe zal ik trouwens ooit een bekende Hollywooddiva worden als ik in Moskou woon?

Toch kijk ik enorm uit naar het bezoek van Thomas. De laatste keer dat we elkaar zagen was geweldig. We hebben toen zo veel gelachen en telkens als we skypen of mailen, kan ik de hele wereld weer aan. Ik moet eens met hem over onze toekomst praten. Ergens halverwege zijn bezoek, want anders komt het zo opdringerig over. Misschien moet ik gewoon wat romantische uitstapjes plannen om alleen met ons tweetjes te zijn, dan is het niet zo'n schok als ik erover begin. Want volgens Juliet, de zus van Violet, zijn mannen nogal allergisch voor dergelijke gesprekken en hebben ze meestal de neiging om ervandoor te gaan. Dat gebeurt toch altijd bij Juliet. Ik kan me niet voorstellen dat Thomas er allergisch voor is. Hij is alleen allergisch voor pollen, maar ik zal het toch voorzichtig aanpakken, je weet maar nooit.

Tussen het studeren van fysica door maak ik thuis een uitstappenlijstje op. Eigenlijk is het tussen het maken van het lijstje door dat ik studeer. De noodzaak van fysica blijft me telkens weer ontgaan. Ik heb eens aan mister

Bont, alias meneer Meyer, gevraagd of ik een betere actrice zou zijn als ik fysica ken. Hij antwoordde dat het mij alleen maar kan verrijken, waarop ik vroeg of hij dat financieel bedoelde. Toen draaide hij met zijn ogen en slaakte hij een diepe zucht. Dus ik veronderstel dat hij het niet financieel bedoelde.

Romantische uitstapjes met Thomas:

Dag 1: Oppikken in de luchthaven met spandoek. Of is dat erover? Samen frietjes eten in Frietland, want dat zal hij wel gemist hebben.

Dag 2: Wandelen in Ter Kamerenbos. Misschien een hond van iemand lenen, want dat is toch romantischer, niet?

Dag 3: Shoppen. Ik veronderstel dat Thomas wel wat nieuwe kleren kan gebruiken, aangezien zijn moeder er weinig verstand van heeft. 's Avonds naar een romantische film kijken.

Dag 4: Picknicken in het park.

Dag 5: 's Avonds naar het Atomium gaan om vanuit de hoogste bol het over onze toekomst te hebben. Om daar weg te lopen moet hij heel wat trappen doen of lang aanschuiven voor de lift. Het risico dat ik hem niet meer zie, is dus klein.

Dag 6: Als we nog samen zijn naar het jeugdcafé om te vieren dat we nog samen zijn.

Dag 7: ???

Voor dag zeven moet ik nog iets vinden. Het is de laatste dag dat we samen zijn en die moet bijzonder zijn. Onvergetelijk, maar allesbehalve triest. Ik heb geen zin om de laatste dag te huilen, want dan loop ik de hele tijd rond met van die gezwollen ogen en rode plekken op mijn gezicht. Zelfs waterproofmascara zal me op zo'n momenten niet kunnen redden. En ik wil niet dat Thomas het vliegtuig in stapt met dat als laatste beeld van mij. Elke aan wodkaverslaafde Russische meid die hij daarna tegenkomt, ziet er dan mooier uit dan ik.

Het is beter dat ik me nu probeer te concentreren op fysica, daarna heb ik nog enkele dagen om over Thomas na te denken.

Na een halfuur studeren hoor ik het geluid van een inkomend chatbericht. Oeps! Chat vergeten uit te zetten. Het is Max.

Maximilanus zegt:
Klaar voor morgen?
Krul zegt:
Voor fysica ben ik nooit klaar ;-)
Maar voor de auditie: natuurlijk!
I am born as a star!
Maximilanus zegt:
Lukt fysica?
Krul zegt:
Hahahahahaha ... Wat ben jij grappig, zeg.
Jij nog examen?
Maximilanus zegt:
Zang ☺
Krul zegt:
Gelukzak!
Maximilanus zegt:
Spreken we morgen daar af?
Krul zegt:
Okido!
Maximilanus zegt:
Fysica komt in orde ;-)
Chill! X
Cu
Krul zegt:
Cu x

Als ik me weer op mijn cursus richt, weet ik niet meer wat ik daarnet gelezen heb, dus ik besluit om opnieuw te beginnen. Maar na tien minuten dwalen mijn gedachten weer af. Deze keer naar de vraagtekens achter dag zeven op mijn lijstje. Misschien moet ik toch eerst dat probleem oplossen voor ik verder kan met die vervelende formules. Ik hoop dat Violet of Hind, het liefst beiden, op de chat zitten, dan kunnen ze me helpen met het oplossen van dag zeven, zodat ik weer verder kan studeren.

Ultraviolet en De gezwinde hinde zijn offline meldt mijn scherm. Misschien zijn ze niet echt offline, maar zetten ze zich offline om niet steeds gestoord te worden. Ik probeer toch, in de hoop dat ik gelijk heb.

Krul zegt:
SOS! Zijn jullie er???????????

Het bericht kan niet verstuurd worden. De gezwinde hinde en Ultraviolet zijn echt offline. Ik blijf nog vijf minuten naar het chatprogramma staren, in de hoop dat ze toch nog online komen, omdat wij beste vriendinnen zijn en elkaar aanvoelen en zelfs elkaars gedachten kunnen lezen als het nodig is. Een beetje zoals bij tweelingen. Helaas werkt het niet, waarschijnlijk zitten de formules van fysica er voor iets tussen.

Ik zucht en kijk weer naar mijn cursus. Ik moet nog meer dan de helft erin krijgen, dat lukt nooit. Ik weet nu al niet meer wat er in het eerste hoofdstuk stond!

Misschien moet ik de dvd van *What the Bleep Do We Know* bekijken. Michiel heeft hem aan me geleend, hij is er zot van en zei dat ik er een pak wijzer van zou worden. Uiteraard heb ik de dvd niet zonder voorwaarde gekregen. Hij wilde weten in welke computercursus Hind ingeschreven is, want zij wou het hem niet vertellen. Sinds Hind tot het geekdom bekeerd is, is Michiel de übergeek compleet weg van haar.

Ik zal dus aan vriendinnenverraad moeten doen, maar als ik dat niet doe, zak ik grandioos en dan zitten we volgend jaar niet meer in dezelfde klas. Dat is veel erger dan Hind die twee weken met Michiel een cursus moet volgen.

Ik stop de dvd in mijn computer, installeer me op mijn bed, want dat is toch iets gemakkelijker, en hou mijn notitieblok en pen bij de hand, zodat ik kan noteren als ik iets niet begrijp. Bij de eerste scène moet ik al tegen de slaap vechten. Tijdens de tweede scène ziet het ernaar uit dat de slaap zal winnen.

Als ik wakker schiet, is het computerscherm het menu van de film aan het herhalen.

'Punaise!' Verward zoek ik naar het uur. Het is bijna tien uur 's avonds! O my God! Ik heb lang geslapen. Veel te lang! Hoe duw ik die cursus fysica in godsnaam nog in mijn hoofd op dit uur? Moet ik overschakelen op nachtwerk? Totaal uitgesloten, want morgen na het examen is het de auditie. Ik kan toch onmogelijk aankomen met extreem uitgezakte wallen en een constante drang naar geeuwen. Ik veronderstel dat ze wel een ander beeld hebben van een vrolijk, jong meisje.

Oké, hier moet ik even over nadenken, alle voor- en nadelen tegen elkaar afwegen. Terwijl ik helder probeer te denken, loop ik alvast de trappen af. Op weg naar buiten zie ik mijn moeder slapen op de bank voor de televisie, die nog aan staat. Niet op het programma van mijn vader. Ik kan me voorstellen dat ze niet zoveel behoefte heeft om hem ook op tv te zien als ze hem al elke dag in het echt ziet. Volgens mij heeft hij zelfs geen programma lopen op maandagavond. Na de hele realitysoap heeft hij besloten om het wat rustiger aan te doen, hij wilde zich bezinnen. Waar is hij trouwens?

Ik ga even in de tuin zitten om wat zuurstof bij te tanken. Mijn hersenen kunnen het wel gebruiken als ik dadelijk nog vijf hoofdstukken complete nonsens wil instuderen. Zouden Violet en Hind al gedaan hebben? vraag ik me af. Hind waarschijnlijk wel, zij beschouwt fysica als peanuts. Voor haar is de vakantie bij wijze van spreken al begonnen. Ik besluit om alleen naar Violet een bericht te sturen, zij is vast en zeker nog bezig, dan heb ik tenminste niet het gevoel dat ik nog de enige ben die studeer.

```
IK KAN NIET MEER!
VAL STEEDS IN SLAAP :S
EN BIJ JOU? KRUL X
```

Wat ben ik blij dat mijn gsm snel reageert. Violet is dus ook nog bezig.

```
NET GEDAAN! :-D
IDD ZEER SLAAPVERWEKKENDE CURSUS.
HOUD NOG EVEN VOL.
DAN VAKANTIE!!!!!
CU X
```

Dit is niet het bericht waarop ik gehoopt had, maar ik ben blij voor haar. Ze is ervan af. Als ik nu nog twee uur doorbijt, me concentreer en de cursus aandachtig doorlees, dan zal er wel iets van blijven hangen.

Met die intentie ga ik terug naar mijn kamer. Ik ga aan mijn bureau zitten en open de cursus waar ik vijf uur geleden ben gestopt.

Maar voor ik begin, stuur ik Thomas nog een mailtje. Ik ben nogal bedreven in het zoeken naar excuses om het studeren uit te stellen.

Het liefst van al wil ik skypen, maar in Moskou is het nu ergens midden in de nacht. Ik veronderstel dat Thomas allang over mij aan het dromen is.

Van: Loulou Roosenbroeck <loulou.roos@hotmail.com>
Datum: 29 maart 22:09
Onderwerp: Moskou – Brussel
Aan: Thomas Swaelens <t.swaelens@hotmail.com>

Lieve Honeybunny!

Nog 5 nachten slapen! Ik kijk er enorm naar uit, want dan weet ik ook dat deze rotcursus (rarara, wat zou het zijn?) achter de rug is. Hoe is fysica daar? Is het de moeite voor mij om te verhuizen? Hihi :-)

Krul,
jouw babouchka alias pumpkin uit het verre Brussel xxxxxxxxxxxxxxx
xxxxxxxxxxxxxxxxxxxxxxxxxxxxxxxxxxxxxxxxxxxxxxxxxxxxxxxxxxx

Dinsdag 30 maart
STATUS: Laatste examen!

Meneer Meyer is absoluut verwonderd als ik als eerste het examen afgeef.

'Gestudeerd, juffrouw Roosenbroeck?' vraagt hij verbaasd.

'Zoals altijd, meneer Meyer,' antwoord ik beleefd, maar met een knipoog. Het is een eerlijk antwoord. Ik heb fysica zoals altijd gestudeerd, met de nodige afleiding en vooral met de vraag naar het waarom van dit vak. Waarom zou ik er trouwens drie uur mijn hoofd over breken als ik weet dat ik er na een kwartier toch niet meer opkom. Nu heb ik tenminste nog twee uur en drie kwartier die ik positief kan invullen, zoals uitkijken naar het bezoek van Thomas over vier dagen.

Het is trouwens veel te warm om zo lang binnen te zitten. We hebben al zo weinig zonnige dagen. Dan kun je er beter zo veel mogelijk van genieten.

Naast de betonnen speelplaats is er gelukkig ook nog een klein lapje groen in de school. Tijdens normale schooldagen is het verboden om dat te betreden, maar vandaag maak ik zelf een uitzondering, want het is helemaal geen normale schooldag, het zijn examens en dat beschouw ik als abnormaal.

Ik ga languit in het gras liggen en staar naar de open hemel terwijl ik op Hind en Violet wacht, die allebei nog hun hoofd breken op zinloze fysicaformules. Ik moet aan Max denken. Als hij weet hoe rampzalig mijn fysica is verlopen, dan zou hij zeker zeggen dat ik gisteren mijn tijd verspild heb aan het studeren. Ik stuur hem snel een sms.

DE AUDITIE KAN ALLEEN MAAR BETER GAAN
DAN MIJN EXAMEN FYSICA X

Ik krijg niet meteen iets terug. Hij zal zeker nog volop aan zijn examen zang bezig zijn. Punaise! Waarom hebben wij dat niet in plaats van fysica? Ik zou zeker geslaagd zijn en ik heb er tenminste nog iets aan voor mijn verdere acteercarrière. Een actrice die kan zingen krijgt meer aanbiedingen.

Het is heel rustig buiten, iedereen zit binnen examens te maken. Is dit hemels geluk? Gedaan met de examens, een moment voor jezelf en weg-dromen over de romantische vakantie die eraan komt. Misschien toch nog een romantisch jurkje kopen voor als Thomas er is? Met mijn ogen gesloten laat ik de zon op mijn gezicht branden en denk al na welk jurkje ik graag zou willen.

Ik moet in slaap gevallen zijn, want een irritant gekriebel aan mijn neus maakt me wakker. Violet en Hind zitten naast me te lachen. Hind met een grassprietje in haar handen.

'Koffietijd!' klapt Violet in haar handen. 'En ik denk dat je wel een kop kunt gebruiken.' Ze staat op en neemt mijn tas al vast.

'Te veel gestudeerd vannacht?' grapt Hind.

'Was het maar waar,' zeg ik, 'dan had ik op z'n minst iets kunnen invul-len.'

'Dat verklaart je snelle inlevering,' zegt Violet.

'Natuurlijk!' zegt Hind. 'Dacht je nu echt dat ze fysica plots ging begrij-pen?' Ze geeft me haar hand, zodat ik me kan optrekken.

'Ik heb de hele nacht wakker gelegen.'

'Van fysica?' vraagt Violet verwonderd.

Hind en ik gniffelen naar elkaar.

'Thomas!' herinnert Hind haar eraan.

'Ik weet niet wat ik op de zevende dag moet doen,' zucht ik radeloos terwijl ik het gras van me af klop.

'Op de zevende dag moet je rusten,' zegt Violet.

Hind en ik kijken haar met een gefronste blik aan.

'Ik volg godsdienst. Remember?' zegt ze verveeld. Violet probeert haar ouders er elk schooljaar van te overtuigen om ook zedenleer te volgen, maar tot nu toe houden ze voet bij stuk.

'Misschien kun je hen dit jaar overtuigen met het kindermisbruikschandaal van de Kerk,' adviseer ik Violet.

'Daar heb ik ook al aan gedacht,' zegt ze. 'Ik hoop dat het nog eventjes doorgaat, tot aan het nieuwe schooljaar, anders gebruiken mijn ouders het excuus dat het allang geleden was.'

Soms vraag ik me af of Violet haar ouders wel haar ouders zijn, maar dat denk ik ook wel over die van mij. Mocht ik niet dezelfde wipneus als mijn moeder hebben, zou ik denken dat ik geadopteerd was.

'Hey!' roept Hind dolenthousiast. 'Zijn jullie het vergeten?'

Violet en ik fronsen onze wenkbrauwen. Een hele hoop vragen schieten door mijn hoofd: Wie verjaart er? Is het een speciale dag? Hadden we iets bijzonders afgesproken vandaag? Moest ik iets meebrengen? Gaan we ergens naartoe?

'We zijn ervan af!' schreeuwt Hind euforisch uit.

Alle drie zetten we onze keel open van geluk en als kleuters springen we in een kringetje rond.

'Lou?' Michiel staat opeens vlak naast ons en gebaart dat ik naar hem moet komen. Ik haal de dvd uit mijn tas en laat hem aan Violet en Hind zien, zodat ze geen verkeerde ideeën krijgen.

'En welke cursus is het?' mompelt hij, om er zeker van te zijn dat niemand het hoort.

'Ik weet niet of ik het je nog kan zeggen.'

Michiel kijkt verbaasd naar mij.

'Je film heeft niet geholpen, dus kan ik het je ook niet zeggen.'

'Dat is toch niet mijn schuld,' mompelt hij, maar nu iets luider en met het nodige speekselverlies.

Ik zet een klein stapje achteruit. Michiel komt weer dichterbij.

'Jij hebt me beloofd dat de film zou helpen. Niet dus.'

Michiel is razend en trekt de dvd uit mijn handen en stapt vervolgens weg.

Ik ben trots op mezelf dat ik Hind niet verraden heb.

'O my god! Wat scheelde er met hem?' vraagt Violet terwijl we de school verlaten.

'Ik zei dat ik het een slechte film vond.' Wat niet helemaal gelogen is, de eerste scène trok op niets, de rest van de film heb ik niet gezien.

'Typisch nerds!' zegt Hind, totaal niet beseffend dat ze er zelf eentje aan het worden is.

Violet en ik werpen een knipoog naar elkaar. We denken net hetzelfde.

Onderweg kopen we elk een blikje cola en een grote zak chips, want dat hebben we verdiend. We gaan op een bankje in de stad zitten. Ik haal mijn tekst van de auditie boven.

'Om hoe laat moet je er zijn?' vraagt Violet.

Ik kijk op de klok van mijn gsm. 'Over een dik uur.'

'En Max?'

'Ook.'

Ik prevel mijn tekst zonder op mijn blad te kijken.

'Mag ik je helpen?' vraagt Hind.

Meteen duw ik de tekst onder haar neus. 'Jij bent de vrouw.'

Ze gaat er eens snel door en schraapt dan haar keel. 'Het jonge meisje zit in een kamer samen met een vrouw van de politie en de schooldirectrice. Er wordt gevraagd om over haar hobby te praten. Het jonge meisje is afwisselend vrolijk en mysterieus.'

Met een dikke rimpel in haar voorhoofd kijkt Violet afwisselend van mij naar Hind.

'Wat een vreemde tekst.'

'Vind ik ook,' zegt Hind.

Ik begin te lachen. 'Dat was de scènebeschrijving, nerds!'

'Jaja, dat wist ik ook wel,' zegt Hind een beetje op haar tenen getrapt. 'Oké, we beginnen.' Ze gebaart met haar hoofd naar mij alsof ik nog niet wist dat ik moest beginnen.

'Ik probeer al een paar jaar door te breken. Mijn manager Oscar gelooft in mij. Hij zegt dat ik de nieuwe Miley Cyrus kan worden.'

'Wie?' onderbreekt Violet mij.

'Miley Cyrus!' herhaalt Hind snel en ze maant me aan om verder te gaan.

'Eh … waar was ik? Aja … Dat is mijn grote droom. Volle zalen. Een prachtige show. En veel hits hebben. Het is wat ik het liefste doe: zingen.'

'Heb je veel vrienden?' speelt Hind houterig.

Violet schiet in de lach, waarop ik haar een por verkoop.

'Op school een paar,' ga ik verder met mijn gespeelde naïviteit. ' In de showbizz zijn het allemaal volwassenen. Maar mijn manager zorgt goed voor mij. Hij geeft me altijd genoeg te eten en te drinken, vooral snoep dan, van die rode kersjes. Mmm, zalig.'

'Jakkes!' reageert Violet.

'Sst, ga je nu eens zwijgen!' zegt Hind en ze houdt haar hand voor Violets mond.

'Sorry,' zegt ze nog snel stilletjes en ze spant haar lippen stijf op elkaar.

Vervolgens speel ik de rest van de tekst. 'Hij brengt ook saliethee en films mee om het lange wachten sneller voorbij te laten gaan.'

Violet trekt een afkeurend gezicht.

'Ik heb er een hekel aan, maar hij zegt dat het goed is voor mijn stem. Oscar heeft mij trouwens tweeduizend euro beloofd als ik op mijn zestiende niet rook en niet aan de drugs of de drank zit. Maar dat zal ik niet doen. Dat is vies. Binnenkort krijg ik mijn eigen motorhome, zodat ik mij voor een optreden rustig kan schminken en omkleden.'

'Weet je waarvoor je hier bent?' De intonatie van Hind is nog erger dan een amateurspeler.

Violet probeert haar lach echt in te houden, ze heeft het moeilijk om niet uit te barsten, haar hele lijf schokt van het lachen.

Ik probeer mijn concentratie te behouden, ook al hoef ik nog maar een woord te zeggen.

'Nee.'

'Hoezo nee?' vraagt Violet plots. 'Er is toch iemand vermoord!'

'Maar dat weet zij toch niet!' zegt Hind.

'Violet, jij zou beter mimespeler worden,' grap ik.

'Wat een stomme tekst, maar je doet het goed!' zegt ze bemoedigend.

'En ik?' vraagt Hind trots.

Violet kijkt twijfelend naar mij. 'Eh … ook, maar ik denk dat die computercursus je beter ligt.'

Violet en ik schieten in de lach. Hind is even teleurgesteld, maar beseft ook wel dat ze nooit een actrice zal worden.

'Ik moet ervandoor!' Ik heb nog wel even, maar ik ben te opgewonden en nieuwsgierig.

'Succes, Diva Loulou!' roepen Violet en Hind me na.

Als ik de metro in stap, stuur ik een bericht naar Max om te weten of hij er al is. Hij reageert onmiddellijk.

NET HIER. VEEL MENSEN EN HEB DE BIBBER ;-)

Als ik het bericht lees, borrelen de zenuwen nog harder op. Ik moet ze onder controle proberen te houden, anders ga ik zeker de mist in. Tijdens de korte metrorit rammel ik de tekst in gedachten enkele keren af. Het is warm op de metro en alle zweetgeuren maken me een beetje mottig. Ze mengen zich tot een afschuwelijke cocktail van stank. Ik wapper mezelf verkoeling en verse lucht toe met het papier waar de auditietekst op staat.

Nog een halte en ik ben er. Ik voel hoe het zweet ook bij mij uitbreekt en niet alleen van de warmte. Mijn keel is droog. Ik hoop dat ze water hebben.

Zodra ik de metro uit stap en de buitenlucht zie, overvalt me een misselijk gevoel. Misschien moet ik nog iets eten, hoewel ik geen honger heb. Het zal wel van al die zweetgeuren zijn. Ik wandel verder op de grote laan en na tien minuutjes stappen ben ik aan het juiste adres.

Op de grote witte poort hangt een papier met *Auditie* DISCO. Achter de witte poort bevindt zich een kleine binnenplaats met drie deuren. Op de deur uiterst rechts hangt opnieuw een papier dat aangeeft waar ik moet zijn. Zodra ik die deur opentrek, voel ik een hoop blikken op mij gericht. Er zijn inderdaad veel mensen.

'Lou!' Max roept op een gedempte toon naar me. Hij zit naast een mager, blond meisje dat beter auditie zou doen voor de rol van zombie. Ze ziet lijkbleek en heeft lange, vettige haren. Als het tussen haar en mij gaat, is er geen twijfel mogelijk dat ik de rol zal hebben.

Max neemt zijn tas van de stoel naast hem, zodat ik er kan zitten. Ik kijk naar de andere kandidaten, die overwegend meisjes zijn. De meeste zien er moe en allesbehalve vrolijk uit. Misschien was het toch niet zo'n goed idee van de filmmakers om de auditie vlak na de examens te houden. Aan de andere kant hebben ze niet veel keuze, aangezien de opnames volgende week al starten.

Ik ruik een doordringende zweetgeur, waar ik meteen weer misselijk van word. Zo onopvallend mogelijk probeer ik de herkomst van de zure geur op te sporen, maar het is moeilijk, ze blijft me achtervolgen.

'Ruik jij dat ook?' fluister ik tegen Max.

Hij snuift een paar keer en trekt dan een vies gezicht. 'Uhg, wat is dat?' Hij leunt naar mij toe. 'Wat heb jij voor foute parfum op?'

'Hoezo?' vraag ik geschrokken.

'Het is je T-shirt.'

Ik ruik aan de bovenkant van mijn T-shirt en besef dat ik al de hele tijd misselijk word van mijn eigen zure geur.

'Punaise!' Ik ruik meteen onder mijn oksels, maar daar ruikt het gelukkig naar limoen, mijn deodorant. 'Dat is toch geen zweetgeur?' Ik druk mijn T-shirt weer onder de neus van Max.

'Bah!' Max draait zijn hoofd weg.

Ik ruik er nog een keer aan en probeer de geur te herkennen.

'O, punaise! Ik weet wat het is.'

'Het doet me aan babykots denken,' zegt Max met een vertrokken ge-zicht.

'Het is opgedroogde melk.' Ik drink anders nooit melk, maar het was vanochtend de enige optie. Paula moest nog sinaasappels beginnen te per-sen en dus was er alleen kraantjeswater of melk. Ik had zo'n dorst dat koffie alleen het niet kon lessen. Bovendien had ik geen tijd om te wachten op het verse sap en aangezien ik kraantjeswater niet vertrouw, heb ik toegegeven aan een glas ijskoude melk. Alleen dronk ik veel te snel, waardoor er melk op mijn bloes is terechtgekomen. Ik dacht dat het snel weg zou gaan met een beetje water, maar door de zon is de melk zuur geworden.

'Wat moet ik nu doen?' vraag ik aan Max, die moet lachen met de wan-hoop op mijn gezicht.

'Je bloes uittrekken?'

'Maar ik heb hieronder alleen mijn beha aan.'

Max schiet in de lach. 'Dan ga je de rol zeker hebben.'

'Ik wil die rol niet omdat ik alleen in mijn beha sta, maar omdat ik goed ben.' Ik zucht en zoek naar een oplossing. 'Heb jij nog een extra t-shirt bij je?'

Max schudt het hoofd. 'Och, probeer er niet aan te denken, de auditie duurt toch niet lang.'

Hij heeft wel een punt. Iedereen is nogal snel buiten en je kunt aan hun gezicht niet zeggen of het goed was of niet.

'Max Parys.' Een mollige dame in een jeans en een oversized rood hemd roept aan de deur terwijl ze Max viseert.

'Toi, toi,' fluister ik hem toe.

Max verdwijnt met de mollige dame door de deur.

Ik ben best zenuwachtig en dat uit zich in het onophoudelijk op en neer wippen van mijn been, tot grote ergernis van het blonde meisje naast mij. Ze zit voortdurend naar mijn wippende been te kijken in de hoop dat het stopt. Ik negeer haar blik, want na Max zal het ongetwijfeld aan mij zijn en ik moet ergens mijn zenuwen kwijt. Bovendien mag ik me vooral niet laten afleiden door mijn eigen stank. Hopelijk komt de tegenspeler niet te dichtbij. Het lijkt bij Max langer te duren dan bij de anderen, of beeld ik me dat maar in? In mijn hoofd herhaal ik de tekst nog een paar keer en ik stel me voor hoe ik het zou doen. Dan gaat de deur open. Max komt buiten met stralende ogen.

'En?' vraag ik hem.

'Het ging goed en ze zeiden dat het goed was, maar meer weet ik nog niet.'

'Loulou Roosenbroeck?' roept de mollige dame.

Ik wil ja roepen, maar mijn stem stokt.

'Het komt wel goed,' stelt Max me gerust. 'We horen elkaar vanavond, ik moet nog naar een repetitie van het schooltoneel.'

'Oké, tot straks.' Mijn stem komt er alweer een beetje door, maar met het nodige gepiep.

Terwijl ik de kamer binnen stap, probeer ik op mijn ademhaling te letten, zodat ik niet overkom als een kip zonder kop, die op is van de zenuwen.

Achter een lange, bruine tafel zitten een vrouw en twee mannen op een rij, daarnaast staat een cameraman, en dan is er nog de vrouw die me binnenliet.

Een van de mannen ken ik van ergens, hij is een acteur. Ik veronderstel dat hij tegenspel zal geven.

'Dit is Guido,' zegt de andere man, die duidelijk een pak jonger is. 'Hij is je tegenspeler.'

'Dag, ik ben Loulou.' En ik wil hem een hand schudden, maar nog voor ik mijn hand helemaal naar hem uitgestrekt heb, merk ik al dat het hem niet interesseert. Hij is het al moe. Zijn gezicht verraadt dat hij hier helemaal geen zin in heeft. Daarna stelt de regisseur zichzelf en de anderen die er zitten voor, de producer, de assistente en de cameraman. Hij legt vlug uit dat het belangrijk is dat ik op de stoel blijf zitten, want anders stap ik uit beeld. De camera is ingesteld op de stoel. Dat valt tegen, want in mijn hoofd had ik het zo geoefend dat ik op een bepaald moment op zou staan, omdat die reactie daar volgens mij beter bij past. Ik probeer me erop in te stellen dat ik het niet mag doen.

'Ben je klaar?' vraagt de regisseur. Ik knik en begin.

'O, stop,' roept de regisseur. Ik schrik, was het al zo slecht dat hij me doet stoppen na mijn eerste woorden?

'Ik moet nog actie roepen,' lacht hij.

'O, sorry.' Ik voel me opgelucht, maar tegelijk ook heel dom. Ik had dit moeten weten.

'Actie!'

Ik start de tekst weer en het lijkt erop dat het goed gaat, alleen vind ik de tegenspeler nogal traag reageren en zo oubollig spelen. Ik mag me er niet door laten doen, maar van chemie tussen ons is er geen sprake. Even schiet hij achteruit als hij iets te dicht bij me komt. Ruikt hij iets? vraag ik me meteen af.

Het is voorbij voordat ik het besef en het liefst van al zou ik het opnieuw willen doen, maar de planning van de audities laat dat niet toe.

'Dank je wel, Loulou,' zegt de producer. 'Je hoort zeker nog van ons.'

'Oké, dank je wel, tot later.' Een beetje verward verlaat ik de kamer. Perplex sta ik terug aan de deur bij de andere kandidaten. Het ging zo snel dat ik het helemaal niet heb kunnen beleven. Was het nu goed of niet? Ze hebben het niet zo expliciet gezegd als bij Max, maar ze gaan me zeker nog iets laten weten, dus dat moet toch betekenen dat het goed was. Anders zouden ze me toch niet meer opbellen. Zelf vond ik het niet zo slecht, al was er geen chemie tussen de acteur en mij. Maar dat heb ik het niet laten merken en ik ben doorgegaan, wat je niet kon zeggen van de tegenspeler, die even haperde nadat hij te dicht bij me was gekomen.

Ik pak mijn spullen, terwijl het blonde meisje naar binnen gaat.

Onderweg naar de metro stuur ik Max nog een bericht dat alles goed gegaan is. Ik verwacht niet onmiddellijk een antwoord, aangezien hij repeteert voor zijn schooltoneel, dat tegelijk ook zijn eindwerk is voor het vak drama.

Als ik voorbij de winkel Tiffany's wandel, stop ik automatisch aan de etalage en net als in de film plak ik met mijn neus tegen het raam.

Ik hoor de fonkelende juwelen mijn naam roepen, helaas ben ik een eenzaam dolende puber die het moet stellen met goedkope juwelen die in China vervaardigd zijn. Maar ja, je moet altijd onder aan de ladder beginnen, hè. De doordringende blik van de winkelbediende jaagt me van het raam weg. Wie denkt hij wel dat hij is? Ik ben toch geen roodharige, vuile wees die rijke klanten wegjaagt. Maar als ik mezelf in de weerspiegeling van het raam zie, kan ik de winkelbediende wel begrijpen. Ik zie er moe uit, met veel te grote en donkere wallen. Misschien is het geen slecht idee om naar huis te gaan en vroeg mijn bed in te duiken, dan ben ik tenminste uitgeslapen voor mijn eerste vrije dag na de examens.

STATUS: Zijn dromen bedrog?

Thuis bekijk ik nog even mijn mails, want ik verwacht toch nog iets van Thomas. Helaas blijft mijn mailtje van gisteren voorlopig onbeantwoord. Ik heb me echter voorgenomen om er elke dag eentje te sturen tot hij op de luchthaven in mijn armen wandelt.

Van: Loulou Roosenbroeck <loulou.roos@hotmail.com>
Datum: 30 maart 18:20
Onderwerp:
Aan: Thomas Swaelens <t.swaelens@hotmail.com>

Stond vandaag voor de etalage van Tiffany's. Zucht, ik mis je echt heel hard … en ons ook. Nog 4 keer slapen!!!!!!!!!!!!!!!!!!!!!!!!!!!!!!!!!

Krul & kus
Pumpkin

Nadat ik enkele hoofdstukken in *Robinson Crusoë* gelezen heb, neem ik me voor om me ooit in te schrijven voor een cursus plantkunde, zodat ik helemaal alleen op een eiland toch kan overleven. Dan krijg ik een mailtje van Thomas.

Van: Thomas Swaelens <t.swaelens@hotmail.com>
Datum: 30 maart 23:33
Onderwerp: Re:
Aan: Loulou Roosenbroeck <loulou.roos@hotmail.com>

Babouchka, wat is Tiffany's?
Thomaski x

'Wat?' roep ik uit als ik het lees. Hoe kun je nu niet weten wat Tiffany's is? Zelfs mijn vader weet wat het is. En is dat alles? Eén enkel kusje? En waar komt die Thomaski plots vandaan? Geen 'jouw liefste' of 'ik mis je'. Is er iets gebeurd? Is er een ander en durft hij het me niet vertellen? Het stormt in mijn hoofd en op deze manier ga ik nooit slaap kunnen vatten. Het kan me niet schelen of het nu in Moskou midden in de nacht is, ik wil hem horen.

Ik open Skype en klik Thomas-Swael aan, zijn Skypenaam. Ook niet de meest originele, maar hij is nogal praktisch ingesteld. Thomas vindt dat mijn Skypenaam – loulou_krul – onpraktisch is voor wie me via Skype wil vinden, maar zolang hij mijn naam heeft, is het toch goed, nee?

Het rinkelt een paar keer voor Thomas uiteindelijk antwoordt.

'Babouchka!' De intonatie is zo krakerig en met veel ruis erop dat ik helemaal niet kan uitmaken of hij blij is om me te horen, of dat ik hem wakker heb gemaakt.

'Thomas, hoor je me?' Dat is meestal de eerste zin die ik zeg, om er zeker van te zijn dat ik geen volledige liefdesverklaring afleg en hij er niets van gehoord heeft.

'Ja, ji…j m…ij?'

'Met onderbrekingen. Zie je mij?' De webcam werkt ook niet altijd optimaal, meestal moeten we het met een van de twee doen. Zo hebben we al eens vijf minuten met elkaar gecommuniceerd zonder geluid, maar met beeld.

'In vertra…g…ing.'

'Ik zie alleen je haar.' Ik laat mijn eigen haar zien, zodat hij de boodschap duidelijk doorkrijgt. 'Je moet je webcam draaien.'

Ik zie hem op het schermpje bewegen. Af en toe vang ik een glimp op van zijn gezicht en dan zie ik zijn mond bewegen, waaruit ik opmaak dat hij iets zegt, maar ik hoor hem niet.

'Ik hoor je niet, Thomas,' roep ik boven de kleine gaatjes van mijn computer. Dan valt het beeld weg.

'Punaise!' roep ik weer. 'Nu ben je ook weg.'

Na enkele seconden stilte antwoordt hij weer. 'En nu?'

'Ik hoor je alleen, maar niet duidelijk.' En dan is hij weer weg. Ik wacht zeker een volle minuut, maar nog steeds niets. Ik laat Skype openstaan, maar er komt niets meer, tot ik plots het signaal van een inkomend bericht hoor. Thomas heeft me gemaild.

Van: Thomas Swaelens <t.swaelens@hotmail.com>
Datum: 30 maart 23:56
Onderwerp: Skype
Aan: Loulou Roosenbroeck <loulou.roos@hotmail.com>

Babouchka,

Ik krijg de kriebels van Skype hier! Ik weet niet hoe het komt dat de verbinding slecht is, maar het heeft ongetwijfeld te maken met de slechte internetconnectie bij ons thuis. Gelukkig heb ik toch even je stem gehoord ;-) Ik ga nu slapen, ben doodop.

Thomaski x

Hij geeft het dus al op! En waarom zegt hij niet tot zaterdag? Of dat hij me mist? Eén enkele kus en dat is al de tweede keer op rij. Misschien moet ik me niet te veel vragen stellen, volgens Juliet stellen meisjes zich veel te veel vragen en jongens niet, waardoor de communicatie tussen beide geslachten nogal verstoord loopt. Nu ja, ik moet ook niet alles slikken wat Juliet zegt, want een relatie met Juliet lijkt me geen lachertje.

Mijn gedachten dwalen af naar mijn romantische todolijstje met Thomas. Het gapende gat van dag zeven begint mij te irriteren, maar dan valt me plots een geniaal idee te binnen. Samen met Thomas naar Tiffany's gaan, dan weet hij ineens wat het is. Ik kan hem maar beter zo vroeg mogelijk op de hoogte brengen van mijn favoriete juwelenwinkel. Maar voor we gaan, zullen we eerst samen naar de film *Breakfast at Tiffany's* kijken om helemaal in de stemming te komen. Daarna kopen we een croissant, die we net als in de film voor de etalage opeten, om uiteindelijk helemaal weg te dromen over later.

Ik kan het me al volledig inbeelden. Het zal ongeveer zo gaan. Thomas en ik slenteren langs verschillende toonbanken waarachter de halskettingen, oorbellen en ringen ons toelachen, terwijl ik verlangend wuif. We stoppen bij een prachtige halsketting die eruitziet als een lang, smal sjaaltje van zuiver goud. (Ik heb die halsketting vanmiddag gespot en was er helemaal weg van). Als Thomas mijn bewondering hoort, zegt hij: 'Pumpkin (ik heb een hekel aan babouchka), ooit koop ik dit voor jou.' Waarop ik me naar hem omdraai en hem kus. We kuieren verder tot bij een prachtige ring, die bezet is met een kleine robijn. Liefde op het eerste gezicht (op de ring). Ik smelt helemaal weg en natuurlijk ziet Thomas dat. Hij lacht vertederd en fluistert dan in mijn oor: 'Er komt een dag dat ik een bijzondere ring voor je zal kopen.' Van pure verliefdheid (op Thomas nu) kan ik bijna huilen, maar ik ben een respectabele jonge dame, dus negeer ik de signalen van mijn ogen. De verrassing van de dag is dat hij me een klein hangertje koopt (waarschijnlijk het goedkoopste dat hij kon vinden, maar dat vind ik uiteraard niet erg, want het is het gebaar dat telt, hoewel hij in Moskou misschien wel een goed betaald bijbaantje heeft waarover hij me nog niet verteld heeft. Als dat zo is, heeft hij natuurlijk gespaard voor iets wat niet per se het goedkoopste moet zijn, maar iets wat ik echt mooi vind). In ieder geval, hij koopt het en laat het inpakken, terwijl ik het allemaal totaal perplex gadesla. Zodra we buiten zijn, overhandigt hij het aan mij. Ik open het pakje en doe totaal verrast. Daar lachen we om en dan kussen we. Dolgelukkig met mijn juweeltje vergezel ik hem naar de luchthaven, waar ik uiteindelijk een traan laat om zijn afscheid, maar niet te veel, want anders heeft hij een niet al te fraai laatste beeld van mij en dat risico kan ik niet lopen.

Dat lijkt me het ideale plan voor dag zeven. Ik schrijf het op mijn lijstje met romantische uitstapjes. Totaal tevreden dat alles goed verlopen is, dat ik uiteindelijk dag zeven heb kunnen invullen en dat morgen een dag zonder verplichtingen, maar met lang uitslapen en veel me-time zal worden, val ik in slaap.

Woensdag 31 maart

STATUS: Is een ochtend zonder koffie een slecht voorteken?

Op een woensdagmorgen om halfelf ontwaken in een ouderloos huis, wat wil een puber nog meer? Ontbijt op bed misschien? Jammer dat ik Paula niet overtuigd krijg.

Spinner rekt zich aan mijn voeten uit. Ik vraag me af waarvan hij altijd zo moe is. Ik zie hem alleen maar slapen, eten en van de ene kamer naar de andere trippelen om eens te wisselen van slaapplaats. Hij wandelt over mijn benen naar mijn hoofd toe. Even denk ik dat hij me kopjes komt geven omdat hij me het liefst van allemaal heeft. Ik had beter moeten weten, hij woont hier tenslotte al de helft van mijn leven. Spinner heeft gemak-en zelfzuchtige trekjes. Hij springt via mijn hoofd het bed af, waarschijnlijk omdat het hoofdkussen een degelijke springplank is. Met zijn pootjes krabt hij de slaapkamerdeur open en hij glipt naar buiten.

Door de kier van de deur komt me een geur van vers gebak tegemoet. Heerlijk! Paula is me niet vergeten. Gisterenochtend heb ik de croissants overgeslagen, omdat ik zenuwachtig was door het mailtje van Thomas, de auditie die eraan zat te komen en het nakende examen fysica. Ze knikte wat nors en gebaarde dat ik toch iets moest eten. Daarom heb ik Paula beloofd dat ik vandaag dubbel zoveel zou eten en als ik het zo ruik, heeft ze me voor een keer begrepen.

Ik laat haar nog een beetje kokkerellen en overloop ondertussen vanuit mijn bed de inhoud van mijn inloopkast. Wat zal ik vandaag aantrekken?

Zalig, de zon die door de witte gordijnen valt, waardoor mijn kamer eruitziet als een vergeelde postkaart uit de jaren zeventig. Bij het zien van mijn spaarhert dat onder het stof zit, verschijnt er een glimlach op mijn gezicht, omdat mijn zakgeld twee weken zo goed als onaangeroerd gebleven is door de uitputtende en tijdrovende examens. Over enkele uren zal het stof eraf zijn en zijn buik leeg, terwijl er weer iets extra in mijn inloopkast hangt waarover ik op dagen als deze kan mijmeren.

Langzaam, in kleine stapjes, kom ik mijn bed uit. Eerst duw ik de donsdeken van me af. Ik blijf even liggen om aan de temperatuur te wennen. Daarna breng ik mijn benen naar de rand van het bed en laat ze eraf hangen. Ik blijf even liggen tot ik voel dat mijn bovenlijf klaar is om zich op te richten. Zodra dat gebeurd is, kom ik langzaam overeind en strek ik me helemaal uit, met het bijbehorende geluid van krakende botten en een geeuw. Dat is voor mij het ultieme ontwaken. Niet moeten uitrekenen hoeveel keer ik de snoozeknop nog kan indrukken, geen stress omdat ik me realiseer dat ik een taak vergeten ben.

Ik slenter de trap af met mijn krullen als een discoqueen rond mijn hoofd. De geur van warm gebak komt dichterbij. Wat is het zalig om een huishoudster te hebben!

'Goeiemorgen, Paula!' begroet ik haar opgewekt.

'Morgen.' Dat is een van de weinige woorden die ze uitspreekt. Ik heb haar al een paar keer duidelijk gemaakt dat het goedemorgen is en dat ze de g achter in haar mond moet voelen schuren. Nu spreekt ze de g op z'n Frans uit. Ze haalt dan elke keer haar schouders op, maakt een ontkennend gebaar met haar wijsvinger en zegt: 'In Polen nie, nie.' Dat zegt ze op alles, als ze iets niet begrijpt of gewoon geen zin heeft om het te begrijpen.

'Mmm.' Ik snuif de lucht op. 'Verse croissants?'

Ze lacht eens, maakt dan het bekende ontkennende gebaar met haar wijsvinger en zegt: 'Apfelstrudel.'

'Mmm, lekker,' zeg ik goedgehumeurd. Het is eens iets anders als ontbijt. Ik sta naast Paula aan het aanrecht en zoek nieuwsgierig naar de rest van het ontbijt.

'Is er vruchtensap?' vraag ik en ik wijs naar de fruitpers om duidelijk te maken wat ik bedoel.

'Nie nie,' zegt ze en ze maakt opnieuw het vingergebaar. 'Jij, nie.' Waarop ze met haar rechterhand het teken van drinken uitbeeldt.

'Ik nie drinken?' wijs ik verwonderd naar mezelf.

Paula schudt haar hoofd. 'Gishter,' zegt ze met haar Poolse accent en een gebaar dat naar gisteren moet verwijzen.

Ik wijs nog eens nadrukkelijk naar mezelf. 'Ik? Heb ik dat gezegd? Ik denk het niet.'

Ik schud het hoofd, maar Paula knikt overtuigend ja. Ons gesprek lijkt wel een voorstelling van comedia dell'arte, met al die overdreven gebaren en gezichtsuitdrukkingen.

Paula heeft gisterochtend dus begrepen dat ik geen vruchtensap meer moest hebben, terwijl ik het gewoon voor een keer wou overslaan.

Ik neem de koffiekan, draai hem open en merk dat hij leeg is.

'Ook geen koffie?'

Paula kijkt me aan alsof ik het onmogelijke vraag. Ze tikt op haar pols om aan te geven dat het al elf uur is.

'Op!' zegt ze.

Ik zucht en slenter al minder goedgehumeurd naar de badkamer om me klaar te maken. Ik zal wel in het stad ontbijten.

STATUS: Ben ik straks het kind van gescheiden ouders?

Als ik voorbij het raam van de smoothiebar wandel, scant mijn rechteroog een knappe jongen die aan een witte smoothie, waarschijnlijk banaan of kokos, slurpt. Mijn lijf stopt in één seconde met bewegen, een natuurlijke reflex die ik tegenwoordig meer heb als ik knappe jongens spot. Gelukkig hebben J&B, Jean-Jacques en Benny, me de kunst van het toevallig stoppen voor knappe jongens aangeleerd, zodat ik niet meer als vroeger met een bakvismond sta te kwijlen.

'Merde!' Een vrouw in een mantelpakje met een Longchamptas en een stapel dossiers onder de arm raast me voorbij. Die natuurlijke reflex van toevallig stoppen is wel nogal nadelig voor de mensen die achter me lopen, dat heb ik al meer gemerkt.

Ik zwier mijn rechtervoet naar achteren, zodat ik de zool van mijn sandaaltjes kan bekijken, dat is alleszins wat het moet voorstellen. Ondertussen kijk ik door het raam naar de jongen, die nog steeds weggedoken achter een magazine zit. Dat hebben we toch al gemeenschappelijk, bedenk ik, magazines lezen.

Deze fijne gedachte is nog maar net door mijn hoofd geflitst of het beeld van Thomas verschijnt voor mijn netvlies. Ik schrik ervan. Is Thomas hier? Ik kijk snel om me heen, scan elke mogelijke jongen met bruin haar, knipper eens goed met mijn ogen en besef dat het een waanbeeld was. Ik kijk weer naar de jongen, wiens blik nog steeds op het tijdschrift gericht is, terwijl zijn lippen het rietje in zijn smoothie omklemmen.

Dat gebeurt nu elke keer als ik een knappe jongen zie! Om me eraan te herinneren dat ik een lief heb, duikt het beeld van Thomas op. Heel even overweeg ik om door te lopen, want ook al is hij ver weg, Thomas is mijn lief en volgens de spelregels van een relatie mag je elkaar niet bedriegen. Maar, bedenk ik me, een smoothie drinken is toch geen bedrog en ik bedrieg Thomas toch ook niet als er toevallig alleen plaats is naast de jongen aan het raam. En stel dat hij als eerste begint te praten, dan ben ik beleefd en antwoord ik, want zo ben ik opgevoed. En als daar toevallig een leuk gesprek uit voortvloeit, kan ik daar toch ook niets aan doen? Bovendien moet ik mijn dagelijkse portie vitamine nog innemen, aangezien Paula het nodig vond om de laatste appels tot een caloriebom te verwerken.

Als ik de bar binnen stap, moet ik mijn plannen herzien om de aandacht van de jongen te trekken. Op een jonge vrouw met een overladen buggy en de knappe jongen na is de smoothiebar helemaal leeg.

'Een bananarama, alsjeblieft,' zeg ik tegen de drie bediendes achter de bar, niet goed wetend wie me zal bedienen. Dat moeten ze zelf blijkbaar ook nog beslissen.

'Een bananarama,' herhaal ik iets luider, aangezien geen van de drie aanstalten heeft gemaakt om mijn bananen en sinaasappels in de blender te gooien. Uiteindelijk schiet de middelste van de drie in actie.

'Een grote of een kleine?' vraagt ze met een Frans accent.

'Een kleine,' beslis ik na een snelle blik op het prijzenbord. Voorlopig is de knappe jongen nog geen vier euro zestig waard.

'Om mee te nemen of hier op te drinken?' Ze houdt de beker met mijn bananarama vast terwijl ze wacht of ik een plastic beker of een glas nodig heb.

Ik draai me snel even om naar de jongen. Hij is weg. Verward kijk ik rond, in de hoop dat hij terugkomt van het toilet, maar tevergeefs. Waar was ik mee bezig? Dacht ik nu echt dat die jongen me zag staan? Ik moet mezelf ernstig tot de orde roepen. Je hebt een lief, Loulou Roosenbroeck! tik ik mezelf op de vingers.

'Om mee te nemen of om hier op te drinken?' herhaalt de dame achter de bar, maar nu geërgerd.

'Om mee te nemen,' zucht ik. Ze giet de bananarama over in een plastic beker terwijl ik twee euro negentig op de toonbank leg. De deur gaat open. Bliksemsnel draai ik me om. Misschien is hij het wel. Een zakenman in maatpak stapt binnen.

Ik neem de smoothie en slurp als een gek aan het rietje.

Als ik naar buiten ga, botst er iemand tegen mij, of beter gezegd ik bots tegen hem, want ik had meer aandacht voor mijn rietje dan voor de rest van de wereld.

'Sorry,' weerklinkt een zachte jongensstem. Hij spreekt Nederlands, maar met een Engelse tongval.

'Het is niet erg,' mompel ik verveeld terwijl ik naar mijn blouse kijk, die bevlekt is met bananarama. Ik denk al aan de zure geur die er straks uit zal opstijgen. 'Ik ben het gewoon.' En dan pas zie ik hem. Het is de knappe jongen van daarnet. Hij was degene die tegen me op liep. 'Het is niet erg,' herhaal ik met een gigantische bakvislach. Mijn hart gaat ongezond tekeer. Ik moet iets zeggen, nu is het moment, denk ik. Hij lacht ongemakkelijk, dan maakt hij aanstalten om door te lopen, waarop ik het volgende eruit flap: 'Zal ik je eens iets verklappen, ik zou met jou in een frambozentaartje willen happen.'

Zodra ik de woorden heb uitgesproken, kan ik mezelf wel voor het hoofd slaan. Zijn wantrouwige blik spreekt voor zich. Ik moet het goedmaken, voor hij denkt dat ik gestoord ben.

'Volgende maand wil ik een marathon achteruitlopen met een nieuw paar borsten, of met jou een date hebben. Wat is het meest haalbare, denk je?' Wat zeg ik toch allemaal?

Hij is helemaal uit zijn lood geslagen. Dat komt ervan met al die examens. In plaats van me te concentreren op mijn boeken, zocht ik naar originele openingszinnen. Geen idee waarom, want ik heb ze sowieso niet nodig, ik heb al een relatie. Dat laatste lijk ik soms wel even te vergeten, zoals nu. Maar ik heb het met deze knappe jongen toch al verknoeid, dus een relatieprobleem zal zich hier niet stellen.

'Jij bent grappig.' Hij spreekt Nederlands alsof er een dikke kauwgum in zijn mond zit.

Wil dat zeggen dat het oké is? Dat hij me leuk vindt? Hij zei wel grappig. Is grappig in deze omstandigheden hetzelfde als leuk? Wil dit ook zeggen dat ik iets terug moet zeggen? Wacht hij op een antwoord? Maar wat antwoord je op een zin als: Jij bent zo grappig?

'Ehhhh …' kreun ik een beetje verlamd.

Hij lacht, schudt zijn hoofd lichtjes en mompelt: 'Funny girl.'

Dit wordt te gênant, dit komt nooit meer goed met die jongen. Als ik hier nog veel langer als een bakvis blijf staan, is mijn beeld op zijn netvlies gebrand en zal hij me jaren later nog herkennen. Wil ik dat? Wil ik hem weer tegenkomen en telkens opnieuw aangesproken worden met: Jij was die funny girl uit de smoothiebar?

Ik moet iets ondernemen als ik geen trauma wil oplopen. Voor ik het weet, durf ik geen knappe jongen meer aan te spreken, duurt het jaren vooraleer ik dit verwerkt heb, ga ik door het leven als de eeuwige vrijgezel, moet ik naar Bertus de therapeut en tegen de tijd dat ik het allemaal verteerd heb, zijn de knapste jongens bezet en ben ik te oud om nog aan kinderen te beginnen. Wat denk ik toch allemaal? Er is nog steeds Thomas, de optie eeuwige vrijgezel is niet aan de orde. O nee, heb ik nu een psychose? Ik moet hier dringend weg voor ze me wegvoeren.

'Bye!' zeg ik met een schorre stem, omdat mijn mond te lang opengestaan heeft. Ik dump de beker bananarama in de vuilnisbak aan de deur en hol de bar uit. Met snelle passen loop ik verder. Ik heb helemaal geen idee waar ik nu naartoe ga. Mijn oorspronkelijke doel was shoppen, maar voorlopig kan ik niet op deze laan blijven, want de kans dat ik hem tegenkom, is te groot. Het probleem is dat ik mijn originele doel wil hervatten en ik dus beter wel op deze laan blijf, want de leuke winkels bevinden zich hier en niet om de hoek.

De enige oplossing die ik kan bedenken, is een winkel binnen gaan. Zonder na te denken stap ik de eerstvolgende winkel binnen. Het is een boekwinkel. Ik loop wat verder de winkel in, tot bij de tijdschriften. Als ik me hier een kwartiertje verschuil, zal het knappe gevaar wel geweken zijn.

Ik snuister wat tussen de boekjes en blader hier en daar in een modeblad. Tot mijn oog op de roddelblaadjes valt. Op de cover van GOSSIP, het meest verkochte weekblad van het land, pronkt een grote foto van mijn vader met een jongere vrouw. De kop erboven luidt: *Is dit zijn nieuwe minnares?*

Compleet verrast, grijp ik het roddelblad. Ik sta nog meer versteld als ik het kleine fotootje in de hoek bekijk. Dat ben ik met mijn moeder! Mijn lichaam begint te trillen. Mijn adem stokt. Als ik niet beter wist, zou ik denken dat ik hyperventileer, maar ik ben in shock. Het is niet de eerste keer dat ik dit ervaar. De vorige keer was ik zes jaar oud en zag ik hoe J&B elkaar een tong draaiden in onze keuken. Tot dan wist ik niet dat jongens elkaar mochten kussen, op school had ik het nog niet geleerd en niemand had me dat ooit verteld. Toen J&B en mijn ouders mijn reactie zagen, begonnen ze te lachen. Maar nu zal er niet gelachen worden. Als ze dit zien, is het oorlog.

De vraag is alleen of dit waar is. Heeft mijn vader een ander? Ze zeggen wel waar rook is, is vuur, maar ik heb een hekel aan spreekwoorden. Betekent dit dat mijn ouders gaan scheiden? Waar is deze foto eigenlijk genomen? Ik blader wild door het tijdschrift op zoek naar het artikel.

'Hier ben je.' Plots hoor ik achter me een bekende stem. Geschrokken draai ik me om.

'Hoe kom jij hier?' Totaal in shock door mijn recente ontdekking zie ik de knappe jongen met een adembenemende glimlach voor me staan. Stiekem laat ik het tijdschrift terug op de stapel vallen. Stel je voor dat hij mijn foto op de cover ziet, dan vindt hij me helemaal gestoord. De foto die ze gebruikt hebben, dateert nog van zes jaar geleden, toen ik nog een voorliefde had voor pasteltinten en prinsessenjurken.

'Je was ineens zo snel weg.' Zijn accent is charmant, maar onze toneeljuf zou zeggen dat hij meer spanning op zijn lippen moet zetten.

'Ik ehhh …' Ik aarzel en probeer koortsachtig iets te verzinnen. 'Ik herinnerde me plots dat ik dringend nog iets moest doen.' Klinkt vaag, als een cliché-uitvlucht, denk ik bij mezelf. Als hij nu maar niet vraagt wat.

'Wat?'

Tuurlijk vraagt hij dat. Ik leef niet in een sprookje waar alles vanzelf gaat.

'Voor school, maar ik vind het niet.' School is altijd een gemakkelijk excuus en in een boekwinkel klinkt het niet eens zo vreemd. Gelukkig dat ik in een boekwinkel en niet in een kledingwinkel binnen ben gegaan. Of misschien was het toch beter geweest dat ik een kledingwinkel binnen was gestapt, dan had ik op z'n minst niet moeten lezen dat ik binnenkort het kind van gescheiden ouders zal zijn.

'Het is niet erg, zo dringend is het nu ook weer niet,' lach ik terwijl ik de andere kant begin op te wandelen, weg van de roddelblaadjes. Een seconde lang houd ik mijn hart vast, want hij blijft staan. Als zijn blik naar beneden dwaalt, ziet hij het liggen.

'Excuseer.' Een oudere, mollige dame duwt hem lichtjes opzij om bij haar favoriete blad te komen. Niet het blad waarin mijn familieleven wordt uitgesmeerd, maar de concurrentie, die blijkbaar nog niet op de hoogte is van het turbulente leven van de familie Roosenbroeck.

De jongen draait zich naar me om en ik werp de oude dame een snelle glimlach toe, omdat ze mijn leven gered heeft, waarop ze me wantrouwig aankijkt. Waarschijnlijk denkt ze dat ik haar ga bestelen. Het is het type vrouw dat vroeger alles beter vond en de jeugd van tegenwoordig misprijzend aanschouwt.

'Ik wilde je eigenlijk op een nieuwe smoothie trakteren,' zegt hij als we allebei naar de uitgang stappen, 'maar ik kreeg de kans niet.'

'O!' kreun ik aangenaam verrast. 'Mag ik ook een koffie nemen?' Na al die opwinding heb ik daar meer nood aan dan aan een nieuwe portie bananarama.

'Jij bent echt een funny girl,' lacht hij.

Ik lach overdreven terug, nog steeds niet goed wetend hoe ik grappig moet interpreteren.

Dan schiet er mij iets anders te binnen: hij gebruikt Engelse woorden. De alarmbel in mijn hoofd roept: GAY ALERT! Het is niet de eerste keer dat homo's me leuk vinden en ik ze zie zitten. Maar deze jongen heeft het voordeel van de twijfel, hij spreekt tenslotte met een Engels accent, dus ik veronderstel dat hij Brits of Amerikaans is en dan is het gebruik van Engelse woorden natuurlijk niet vreemd.

Ondertussen lopen we terug in de richting vanwaar we allebei kwamen.

'Ik heet trouwens Stu-art,' zegt hij met een overdreven klemtoon op de laatste letters van zijn naam. Oké, nu hij dit gezegd heeft, is zijn percentage homo fors gestegen. Mijn relatie met Thomas is niet in gevaar.

'Stu-art?' herhaal ik op dezelfde manier, zij het met een lichte spottende ondertoon.

'Ik ben kunstenaar.' Zelfverzekerd is hij wel. 'In Californië, waar ik woon, verkoopt een galerie mijn werk.' Hij vertelt het erbij alsof ik erom gevraagd heb. Maar zoals ik al dacht, is hij Amerikaan. Toch blijft het gay alert van kracht nu hij zijn naam heeft gezegd.

Ik vraag me af hoe oud hij is. Hij ziet er nog redelijk jong uit, jonger dan Thomas toen ik hem de laatste keer heb gezien. Maar dat was in Moskou en als je niet genoeg crème smeert om je te beschermen tegen de koude, dan zie je er snel ouder uit. Ik heb Thomas genoeg gewaarschuwd, maar hij reageerde er niet op. Misschien denkt hij zo zijn babyface te verliezen.

'Hoe oud ben je?' vraag ik hem meteen, omdat ik mijn nieuwsgierigheid niet kan bedwingen.

'Wat denk je?' lacht hij. Ik haat dat soort antwoorden. Ik wil helemaal niet raden hoe oud iemand is. Wat is het nut?

'Ik weet het niet,' antwoord ik kort.

'Zeventien.'

'Een jonge kunstenaar,' zeg ik om maar iets te zeggen, want hoewel hij er vijftien uitziet, had ik hem wel die leeftijd geschat, omdat zijn stem zwaar klinkt. Bij een vijftienjarige jongen kan die soms nog overslaan, omdat ze nog niet helemaal gevormd is. Thomas had dat vorig jaar heel veel. In het begin moest ik erom lachen, maar ik had al snel door dat hij dat niet zo leuk vond.

Misschien moet ik ook zeggen dat ik actrice ben. Misschien kent hij wel iemand in de filmwereld. Dit is mijn kans, als ik uit pure Vlaamse bescheidenheid mijn talent voor hem verzwijg, dan ben ik binnen twintig jaar nog niet in Hollywood geweest. Misschien wel een keer als toerist, maar als toerist weet je toch nooit waar de leuke clubs, de beste restaurants en vooral de kleine designerboetieks zijn.

'Ik ben Lou-lou.' Ik doe net hetzelfde als hem, het is sterker dan mezelf.

'Betekent Lou iets?' vraagt hij heel serieus.

Ik schud mijn hoofd. 'Nee,' lach ik, 'maar ik ben wel actrice.'

Ik kom blijkbaar niet zo overtuigend over, want zonder aanleiding begint hij weer over zichzelf te praten. Dat hij op de internationale school zit en zijn ouders voor de NATO werken. Dat hij als zesjarige gefigureerd heeft in ER en dat hij gek is op de laatste technologische snufjes. Ergens tussen de aankoop van een iPad, de bestelling van een koffie en exotic smoothie, en de uitleg over de kreeftverslaving van zijn vader, dwalen mijn gedachten af naar de vreselijke ontdekking in de boekwinkel.

Weet mijn moeder het al? Of is het allemaal een leugen en zijn mijn ouders er nu om aan het lachen? Ik hoop het laatste. Maar waarom zouden ze dan zo'n artikel publiceren? Violet zal het zeker al ontdekt hebben, haar moeder heeft een abonnement op die boekjes. Misschien moet ik haar een bericht sturen, want waarschijnlijk durft ze er zelf niet over te beginnen.

Mijn gsm trilt met het nodige lawaai. Stuart is er even door uit zijn lood geslagen. Ik geef toe dat het volume nogal luid staat, maar anders hoor ik dat ding niet als het in mijn handtas zit.

'Oeps, berichtje,' maak ik hem duidelijk, waarop hij gewoon verder gaat met zijn verhaal. Ondertussen open ik het bericht van Max.

GOSSIP is dus ook in de handen van Max terechtgekomen. Het is nogal duidelijk waarom ik niets verteld heb, ik ben het zelf pas te weten gekomen. Ik moet dringend dat boekje lezen, wie weet wat er allemaal in staat. Hopelijk niet te veel over mij.

Stuart ratelt ondertussen maar door, hij lijkt wel een vrouw. Voorlopig zal het toch niets worden tussen ons, of toch niet vandaag. Mijn hoofd staat er niet naar.

'Sorry, ik moet naar huis,' onderbreek ik hem. Ik heb geen idee waarover hij het heeft en of hij iets belangrijks aan het vertellen was, maar nu is het mijn beurt.

'O, jammer.' Als een gentleman staat hij op en geeft hij me een kus op de wang. 'Laten we een andere keer verder praten,' stelt hij voor, waarop hij zijn iPhone bovenhaalt.

Waarom niet? denk ik. Hij is niet opdringerig, omdat hij homo is, en hij is een kunstenaar. Altijd goed om me als actrice in dat milieu te begeven.

Ik geef hem mijn nummer.

'Ik stuur je een sms, zo heb je ineens mijn nummer.'

'Okido!' zeg ik en ik wil weggaan.

'Wacht!'

Ik draai me om en zie hoe hij een foto van me neemt.

'Funny,' lacht hij.

Ik lach groen terug. Hij heeft welgeteld één foto van me, en die is dan funny. Niet knap, wauw of sexy, gewoon funny.

Ik wandel onmiddellijk terug naar de boekwinkel, waar ik een exemplaar van GOSSIP grijp. Aan de kassa verschuil ik mijn gezicht achter mijn krullen, uit vrees dat de winkeljuffrouw me herkent. Ik kan niet snel genoeg de winkel uit zijn om erin te lezen.

Midden op de stoep lees ik elke letter die ze over ons schrijven. Het zijn er niet veel, want meer dan een samenvatting van onze Duitse soap en dat mijn vader gespot is toen hij een restaurant uit kwam met een jonge blondine die zijn dochter had kunnen zijn, staat er niet in. Het artikel bevat meer foto's dan woorden, gelukkig maar.

Of toch niet! Op de volgende bladzijde prijkt een foto van mij uit een vorige eeuw. Waar hebben ze die nog gevonden? Bestond het digitale tijdperk toen al? O my god! Op de foto zijn mijn krullen in twee staarten gedraaid en samengebonden met grote, roze strikken. Als je niet beter wist, zou je denken dat mijn voorste tanden eruit geklopt zijn, terwijl ik op die leeftijd nog van tanden aan het wisselen was.

Dit is vernederend! Als we nu in Amerika waren, kon ik ze perfect aanklagen. Of kan dat hier ook? Hind weet het vast, straks even vragen tijdens de chat.

Ik vind het onbegrijpelijk dat mijn vader zich in zo'n cliché laat betrappen. Als hij de paparazzi als een deel van zijn leven beschouwt, moet hij toch ook wel beseffen dat je dat deel beter thuis laat als je met een jongere vrouw op restaurant zit. Volgens mij is zijn verstand verdampt toen hij zijn haar liet bleken voor de Duitse soap.

Uit ervaring weet ik nu wel dat GOSSIP ook niet altijd de waarheid schrijft. Zo hebben ze ooit eens geschreven dat ik een jongen was. Als ze hun bronnen goed hadden nagetrokken, wisten ze dat ik op dat moment mijn haren kort had moeten laten knippen omdat iemand op school het zo nodig vond om er zijn kauwgom in te gooien.

Ik neem me voor om niet meteen in paniek te schieten, mijn vader zal dit wel kunnen uitleggen, mijn moeder begrijpt hem vast wel en we leven nog lang en gelukkig. Ik hoor mijn gsm trillen.

Een bericht van mijn vader.

IS MAMA BIJ JOU?

Waarschijnlijk zullen we niet meer lang en gelukkig leven, of toch alleszins niet als één gezin. Ik zucht diep. Wat word ik verondersteld te doen? Zeggen dat ik het net ontdekt heb of gewoon doen alsof er niets aan de hand is? Mijn gsm trilt opnieuw. Het is Violet.

GOSSIP IS AANGEKOMEN! OMG! WAT EEN FOTO :D

Het is zover: langzaam verspreidt het nieuws zich. Ik maak me niet alleen zorgen om de roddel over mijn vader, maar vooral om mijn foto. Daar gaat mijn imago van fashionista. Helaas is die foto genomen toen ik dacht dat prinsessen het modebeeld bepaalden. Gelukkig moet ik morgen maar even naar school om mijn rapport te halen. Overmorgen is het ouderavond en dan is het twee weken vakantie. Anders was ik op school gespreksonderwerp nummer één, met de leraren op kop.

Stomverbaasd sta ik op de stoep van een drukke winkelstraat aan de grond genageld. De mensen om mij heen razen voorbij, vloeken af en toe omdat ze bijna tegen me op lopen of roepen dat ik ergens anders moet gaan staan. Het ziet ernaar uit dat mijn toekomst wankelt, maar als ze moet wankelen, bedenk ik me, dan het liefst op een paar fantastische pumps. Ik heb alle redenen om aan mijn looks te werken nu die bedreigd worden met oude herinneringen. Bovendien was dat mijn doel vandaag: shoppen.

NEE. TOT STRAKS.

Ik stuur een bericht naar mijn vader. Nu denkt hij dat ik het nog niet weet, wat hem even geruststelt, hoop ik. Het bericht van Violet laat ik nog even onbeantwoord, want één reactie van mijn kant en ze belt me het hele artikel door.

Daar trilt mijn gsm weer. Er zijn toch meer mensen die GOSSIP lezen dan ze beweren. Deze keer is het Claire.

MIJN OUDERS ZIJN OOK GESCHEIDEN. JOIN THE CLUB!
ALS JE EROVER WILT PRATEN OF
ALS JE TIPS NODIG HEBT, BEL ME. XCX

Maar mijn ouders zijn niet gescheiden! Nog niet en misschien wel nooit! En over welke tips heeft ze het? Waarom gelooft iedereen dat stomme blad? Ik los een kreet van ergernis als mijn gsm voor de honderdste keer biept.

Deze keer is het mijn moeder. Wil ik het wel lezen? Is het niet beter om eerst nog te genieten van een onbezorgde jeugd? Om een beetje rond te wandelen? Want thuis zullen er zeker een hoop spanningen en zorgen in de lucht hangen. Ik stop de GOSSIP in mijn tas, zet mijn gsm uit en bezorg mezelf nog een uur onbekommerd shopplezier.

Hoewel ik dat al na twintig minuten moet staken, omdat ik mijn droompaar heb gezien. Blauwe, leren pumps van Sergio Rossi met een hak van vijf centimeter. In een mum van tijd vergeet ik al mijn problemen. Ik storm de winkel in met mijn blik op het paar gericht. Ik vergeet zelfs de vriendelijke lach van de verkoopster te beantwoorden. Zo overrompeld ben ik. Voorzichtig neem ik een schoen in mijn handen. Hij is zo mooi! Ik streel het zachte leer, dat ongelooflijk lekker ruikt.

Ik slik wel even als ik het prijskaartje ontdek. Tweehonderdvijftig euro. Een hele maand zakgeld. Ik twijfel en overloop mijn laatste uitgaven, samen met die die nog moeten komen. De laatste twee weken heb ik geen geld uitgegeven, dat is dan weer het voordeel van examens. Het bedrag van tweehonderdzestig euro dat in mijn spaarhert zat en waar na een smoothie en een magazine nog tweehonderd vijfenvijftig euro en tien cent van overblijft, is natuurlijk voldoende om ze te kopen. Bovendien zijn we aan het eind van de maand, wat wil zeggen dat ik morgen recht heb op een nieuwe maand zakgeld. Ik word helemaal vrolijk van mijn eigen redeneringen.

'Kan ik u helpen?' De vriendelijke verkoopster van daarnet klinkt al iets minder opgewekt. Ze houdt haar blik angstvallig op de blauwe pumps gericht. Het is duidelijk aan haar te zien dat ze bang is dat ik, die dit paar zogezegd niet kan betalen, de schoenen zou beschadigen. Het zou me niet verwonderen dat ik meer weet over schoenen dan zij ooit zal weten in haar hele carrière.

'Ja,' beantwoord ik haar angstvallige blik met een vriendelijke glimlach. 'Ik zou deze graag eens passen.' Dat had ze niet verwacht.

'Zeker.' Haar geforceerde glimlach moet de idee verbergen dat ze haar tijd aan het verdoen is door mij te helpen.

Ik geniet al van de voorpret als ik zo meteen ga zeggen dat ik ze neem. Ondertussen vlei ik me neer in een van de witte Eamesstoelen en doe ik alvast mijn rechterslipper uit. Als de verkoopster me de blauwe rechterschoen overhandigt, voel ik een kleine schok van opwinding door mijn lijf gaan. Volgens mij ben ik nog veel te jong om een tweede verslaving te hebben. Naast koffie drinken is schoenen verzamelen mijn tweede stap naar volwassenheid. Ik laat zachtjes mijn voet in de Sergio Rossi glijden. Zodra ik opsta, voel ik een kleine evenwichtsstoornis en in een flits grijp ik naar de arm van de verkoopster, die haar leedvermaak niet kan onderdrukken en een kleine kir lost. Een hak van vijf centimeter is dan ook al een hele hoogte.

'Ik denk dat ik het best ook de andere aandoe.' Voorzichtig ga ik weer zitten en laat ik ook mijn linkervoet in de Sergio Rossi glijden. Daarna ga ik weer staan. Rustig, want ik weiger een tweede keer op de verkoopster te steunen. Het eerste wat door mijn hoofd schiet als ik helemaal sta, is dat het hoog is. Niet alleen dat, ik voel ook hoe de rand tegen mijn wreef knelt. Is dat normaal? vraag ik me af. Komt het omdat mijn voeten het nog niet gewend zijn om op torenhoge hakken te staan en zich daarom aan de rand vastbijten? Hoort dit er nu eenmaal bij en moet ik de pijn verbijten? Of ligt het aan de schoenen zelf? Gelukkig bestaan er transparante pleisters die ik als tussenschot kan gebruiken.

'Zitten ze goed?' vraagt de verkoopster alsof ze mijn gedachten kan lezen en me nog meer wil kleineren.

'Ja, heel goed.' Behalve dat het randje vooraan knelt, maar ik ga ervan uit dat het zo hoort bij hakken van vijf centimeter en meer. Zolang ik blijf staan, zitten ze goed. Het enige wat ik nog moet doen, is erop lopen, en het liefst nog elegant ook.

Ik zet mijn eerste stappen richting spiegel. Het voelt een beetje vreemd aan. Volgens mij stap ik nogal houterig, maar het is een kwestie van oefenen, stel ik mezelf gerust. Mijn voeten niet te hoog optillen, anders heeft het iets militaristisch, en ook niet te veel laten slepen, want dan lijk ik wel een kind dat in de schoenen van haar moeder probeert te lopen.

'Ik neem ze,' beslis ik enthousiast. Als ik thuis enkele keren oefen, zullen ze ingelopen zijn en kan ik er zonder problemen op stappen.

'Ze zijn wel tweehonderdvijftig euro,' zegt de verkoopster, verbaasd over mijn beslissing.

'Een koopje,' zeg ik een beetje verwaand om haar verbazing nog groter te zien worden.

Aan de kassa haal ik mijn laatste euro's boven. Als ik ze nu afgeef, rest er mij de volgende dagen nog maar vijf euro tien. Ook al moet ik morgen mijn nieuwe lading zakgeld krijgen, gezien de omstandigheden zal er thuis niemand aan mij denken. Ik moet er sowieso al een volledig stapeltje post-its voor opofferen, deze maand zullen het er zeker twee worden. Doet me eraan denken dat ik er dringend nog moet kopen. Punaise, dan schiet er me al helemaal niets meer over! Hoogstens een blikje cola uit de supermarkt.

De verkoopster zet de tas met mijn schoenen op de toonbank. Het is te laat, ik kan nu niet meer terug, dat betekent alleen maar gezichtsverlies.

Het is een goede investering, troost ik mezelf, en ik leg tweehonderdvijftig euro cash op de toonbank.

'Dank u wel,' zegt de verkoopster, 'veel plezier ermee.' Misschien ben ik paranoïde, maar volgens mij hoorde ik daar een jaloerse ondertoon.

Als een gelukkige, maar compleet blutte, jonge vrouw stap ik de winkel uit. Zwierend met mijn zak loop ik door de winkelstraat.

'Au! Kijk uit, kind!' roept een vrouw achter mij. Ik schrik en draai me om. Ze gebaart dat ik gek ben en loopt dan langs me door. Misschien zwierde ik iets te enthousiast met mijn zakje. Meteen is mijn euforisch gevoel weg en maakt het plaats voor de harde realiteit. Ik zet mijn gsm weer aan, waarop twee nieuwe berichten verschijnen, dat van mijn moeder en een sms van J&B.

Met een diepe zucht wandel ik richting metro. Of wacht eens! Ik heb geen geld meer. Daarstraks heb ik mijn laatste rit gebruikt en het is totaal uitgesloten dat ik een nieuwe kaart kan kopen. Zelfs een enkele rit kan ik niet meer betalen. Te voet is de enige mogelijkheid. Wandelend open ik het eerste bericht, dat van mijn moeder.

ZEG TEGEN PAULA DAT IK VANAVOND NIET KOM ETEN.
DEADLINE HIER. IK ZIT AL DE HELE DAG OPGESLOTEN IN DE
FOTOSTUDIO. GA ANDERS MET PAPA MAAR OP RESTAURANT,
NA DE EXAMENS VERDIEN JE DAT WEL.

Stomverbaasd lees ik het bericht nog een keer. Als ik het goed begrijp, weet mijn moeder op dit moment van niets. Of bedoelt ze met mijn vader op restaurant gaan ironisch? Met sms'en en e-mails zijn dergelijke boodschappen voor veel interpretaties vatbaar.

OKÉ, ZAL IK DOEN! X

Het lijkt me verstandig om een neutraal bericht terug te sturen. We zien vanavond wel hoe we het haar vertellen, of misschien weet ze het tegen dan wel.

Het volgende bericht is van J&B, maar het is Jean-Jacques die het verstuurd heeft.

HOE IS HET MET JE MOEDER? KAN HAAR NIET BEREIKEN.
WE ZIJN ONDERWEG.

O nee! J&B komen naar ons. Ook dat nog! Ik loop alvast een versnelling hoger, want ik wil als eerste thuis zijn, als dat nog mogelijk is. Het hangt ervan af of J&B met de fiets, te voet of met de wagen komen en of mijn vader in paniek naar huis is gereden omdat hij mijn moeder niet vindt.

Ik stuur niets terug. Als ze toch naar huis komen, hoef ik mijn beltegoed niet aan hen te verspillen.

Als ik thuiskom, ben ik opgelucht dat alleen Paula er is. Nog even stilte voor de storm. Paula staat goedgeluimd achter het fornuis. Dat komt vast door de appeltaart die ze straks mee naar huis kan nemen. Alleen vrees ik dat haar humeur over enkele minuten zal omslaan. Ten eerste ben ik de enige die vanavond van haar culinaire kunsten zal proeven, want de gezonde eetlust van mijn moeder staat voorlopig op non-actief en mijn vader zal net tijd genoeg hebben om zijn tandenborstel te grijpen en dan de deur uit te vluchten. Een tête-à-tête met mijn vader zit er niet meteen in. Ten tweede zou het me niet verwonderen dat mijn moeder deze keer de appeltaart volledig opslokt.

Ik twijfel even of ik de GOSSIP op tafel zou leggen of beter goed verstop in mijn kamer. Paula heeft ook recht om te weten wat er zo dadelijk kan gebeuren, maar ik twijfel, omdat ik niet zeker weet of mama het al gezien heeft.

Ik besluit Paula op de hoogte te brengen en gooi de GOSSIP voor haar neus op het aanrecht. Ze schrikt even van mijn aggressieve actie en kijkt dan naar de cover, waarop ik nog eens met mijn vinger naar de confronterende foto wijs. Ze staart ernaar en reageert dan onthutst. Het mes waarmee ze de paprika aan het snijden was, valt uit haar handen, die ze vervolgens voor haar mond slaat.

'Ai, ai!' zingt ze bijna dramatisch.

'Dat is nogal licht uitgedrukt,' zeg ik sarcastisch. De bel gaat.

'Ai, ai, ai!' Paula jammert nu nog harder en zwaait met haar handen naast haar oren. Ik zou met Paula mee kunnen doen, maar hou het bij een diepe zucht.

'Dat zullen vast J&B zijn,' zeg ik tegen Paula, die in een versneld tempo het aanrecht begint op te ruimen.

'Loutje, darling!' Benny stormt de hal binnen zodra ik opendoe. 'Waar is je moeder?'

Jean-Jacques volgt hem en pakt me stevig vast, alsof ik plots een wees ben met wie hij veel medelijden heeft.

'Op haar werk.'

'Weet ze het al?' vraagt Benny.

'En je vader?' Jean-Jacques duwt me van zich af en houdt me stevig bij mijn schouders vast. Aan zijn toon en stem te horen kan mijn vader maar beter oppassen als hij thuiskomt.

Ik haal mijn schouders op, omdat ik niet weet waar hij is.

In de keuken begroeten ze Paula op een overdreven dramatische manier, alsof ze naar een begrafenis komen. Nog een geluk dat ik Paula de cover heb laten zien of ze zou nog denken dat er iemand dood is.

J&B gaan aan tafel zitten, terwijl Paula hen van koffie voorziet. Benny bladert door de GOSSIP en verdiept zich in roddels van andere bekende mensen. Af en toe lacht hij hardop. Alleen als hij op de beruchte bladzijde komt, lost hij misprijzende kreetjes. Jean-Jacques kijkt om de haverklap op zijn gouden horloge, waar hij enorm trots op is. Hij heeft het zichzelf cadeau gedaan voor zijn veertigste verjaardag. Het is een verschrikkelijk duur horloge, maar ik vind het een spuuglelijk ding.

Na een liter koffie gedronken te hebben en de GOSSIP van A tot Z gelezen te hebben, horen we de eerste sleutel in het slot steken. Iedereen gaat rechtop zitten en wacht gespannen af of het mijn moeder of mijn vader is.

'Joehoe!' weerklinkt de enthousiaste stem van mijn moeder door de gang. 'Ik kan mee op restaurant!' Lachend komt ze de keuken binnen, in de veronderstelling mijn vader en mij aan te treffen. Ze kijkt verrast op als ze J&B ziet zitten. Het is duidelijk dat ze nog van niets weet.

'JJ en Benny! Wat leuk om jullie te zien.' Ze vliegt naar hen toe en geeft hen elk een stevige kus op de wang.

'Wat doen jullie hier? Gaan jullie mee iets eten?' Ze zet ondertussen haar tas neer en doet haar jas uit. Niemand van ons weet wat te zeggen of durft iets te zeggen.

'Waar is papa?' Ze kijkt naar mij en dan naar de tafel. 'O, de GOSSIP!' We kijken elkaar aan met een ingehouden blik. Nu gaat het komen.

'Wat?' Ze houdt het blad dichter bij haar ogen. 'Pff, belachelijk!' zegt ze en ze gooit het blad terug op tafel voor ze ons een voor een aankijkt. 'Geloven jullie dit?' vraagt ze verwonderd als ze onze blikken ziet. 'Heeft hij een ander?'

Nog steeds weet niemand wat zeggen, alleen de blik van Benny is genoeg om mijn moeder te doen kantelen. Het is zo'n blik waarbij hij een pruilmondje maakt, zijn ogen afwendt en tegelijk zijn wenkbrauwen optilt.

'O, de bedrieger! De leugenaar, de lafaard …' Hysterisch roept ze het ene scheldwoord na het andere terwijl ze in de keuken rondjes loopt. Ze gaat door tot ze in elkaar zakt en in tranen uitbarst.

Dat is voor J&B het teken om in te grijpen. Het is de eerste keer in mijn leven dat ik mijn moeder in deze toestand aantref en ik moet zeggen dat ik nogal onder de indruk ben van haar scheldtirade. Ik wist niet dat er zo veel synoniemen bestonden voor mijn vader.

Ik ben blij dat J&B er zijn, ik dacht er daarstraks anders over, maar nu ik ze mijn moeder zie troosten, ben ik hen dankbaar. Ik vraag me af of ik mijn vader moet waarschuwen dat ze hier zijn, want in zijn schoenen wil ik dadelijk ook niet staan.

Paula schenkt ondertussen een flinke scheut gin in een glas en zet dat voor mijn moeder neer. Het lijkt erop dat Paula dit nog meegemaakt heeft, want ze blijft met de fles naast haar staan tot mijn moeder het in één slok leegdrinkt. Onmiddellijk vult Paula het glas bij. Met verbijstering kijk ik naar het ritueel.

En dan gaat de voordeur open. Ik schiet overeind om zo snel mogelijk weg te lopen als het nodig moest zijn. J&B houden mijn moeder vast, die woest opstaat.

Met een bleek gezicht verschijnt mij vader in de deuropening van de keuken. In tegenstelling tot mijn moeder wist hij wel wat er ging gebeuren ten huize familie Roosenbroeck.

'Is het waar?' Dat is het eerste wat mijn moeder naar mijn vader schreeuwt terwijl ze de GOSSIP naar zijn hoofd smijt. Hij kan het blad nog net ontwijken en heel rustig raapt hij het van de grond.

'Nee,' antwoordt hij kalm.

Mijn moeder, J&B en ik reageren verbaasd, want we hadden allemaal verwacht dat hij zou bekennen. Paula staat erbij en probeert aan de hand van onze blikken op te maken wat er gebeurt.

'Kunnen we onder vier ogen spreken, lieverd?'

Ik wacht gespannen het antwoord van mijn moeder af. Als mijn vader beweert dat het niet waar is, dan is het probleem hopelijk snel opgelost.

'Nee, Loulou, JJ en Benny mogen het ook horen.'

J&B voelen zich duidelijk vereerd dat ze de geheimen van de familie mogen delen, want hun gezicht verandert in een soort trots, waarbij ze ook hun rug recht zetten.

Mijn vadert twijfelt. 'Ik zou het liever eerst aan jou vertellen.'

'Dus het is waar wat ze schrijven,' antwoordt mijn moeder nogal fel.

'Nee, helemaal niet.'

'Waarom wil je het dan niet vertellen?'

'Ik wil het je onder vier ogen uitleggen.' Mijn vader houdt voet bij stuk. Zowel J&B als Paula en ik zitten erbij alsof we naar een tennismatch kijken. Onze hoofden bewegen van mijn moeder naar mijn vader.

'Het is vriendelijk dat je me niet voor het oog van mijn twee beste vrienden, onze huishoudster en onze bloedeigen dochter wilt vernederen.'

Mijn vader slaat zijn handen ten hemel en zegt: 'O, Jezus!' Daarop lost hij een lachje van onbeholpenheid. 'Waarom maak je nu zo'n drama? Ik zeg je dat er niets gebeurd is.'

'Vertel het dan.'

'Nee, waarom vertrouw je me niet?'

'Daarom,' zegt mijn moeder onredelijk en ze wijst naar de GOSSIP.

Mijn vader schudt wanhopig zijn hoofd. 'Ik ben in mijn bureau.'

'Ja, loop maar weg, dat is gemakkelijk, hè!' Mijn moeder schreeuwt zo hard dat elke ader in haar hals zichtbaar wordt. Op die manier roepen is slecht voor de stembanden, zou onze toneeljuf zeggen. Het moet vanuit de buik komen. Ik heb de indruk dat het bij mijn moeder van veel dieper komt, ze staat zelfs op de toppen van haar tenen.

Zodra mijn vader wil weggaan, houdt Jean-Jacques hem tegen.

'Vertel het haar en alles is opgelost,' zegt hij rustig als hij tegenover mijn vader staat.

'Waar bemoei jij je mee?' antwoordt mijn vader, die duidelijk op zijn tenen getrapt is, omdat een andere man hem komt vertellen wat hij tegen zijn eigen vrouw moet zeggen.

Mijn moeder snikt op de achtergrond. Benny neemt de taak op zich om haar te troosten. Ik kijk wezenloos naar het tafereel en vraag me af of ik er een trauma aan over zal houden waarvoor ik in therapie moet gaan bij Bertus, en of ik dan ergens kan aankloppen bij een fonds voor traumaslachtoffers die een schadevergoeding uitbetalen.

Paula blijft tegen het aanrecht leunen met de fles gin in haar hand geklemd.

'Vannacht slaap je maar in je bureau,' schreeuwt mijn moeder naar mijn vader.

'Geen enkel probleem,' reageert die theatraal.

Ik hoor Benny iets in het oor van mijn moeder fluisteren. Hij gebaart naar Jean-Jacques, die naar hen komt. Hij knikt goedkeurend en gaat weer naar mijn vader, die al bij de deur van zijn bureau staat.

'Misschien is het beter dat je op hotel gaat,' zegt Jean-Jacques tegen hem. Mijn vader kijkt hem verbijsterd aan. 'Geef haar wat tijd.'

'Ik beslis zelf wel waar ik slaap.'

'Bij haar zeker!' roept mijn moeder.

'Is het dat wat je denkt?' Mijn vader verheft nu ook zijn stem.

Mijn moeder reageert er onverschillig op.

'Wel, dan zal ik bij haar gaan slapen,' zegt mijn vader op besliste toon en hij rent de trappen op. Iedereen staat perplex van zijn antwoord. Als hij dit echt doet, ben ik ongetwijfeld binnenkort het kind van gescheiden ouders. Dat kan ik niet laten gebeuren. Ik spurt de trappen op en val de slaapkamer van mijn ouders binnen, waar mijn vader net de kleine reistas uit de kast neemt.

'Ga je echt bij haar slapen?'

Mijn vader gooit wat spullen in de tas.

'Nee, ik weet niet eens waar ze woont,' zegt hij met een glimlach.

Als ik hem verward aankijk, zegt hij: 'Ik doe het om je moeder een les te leren.'

Ik begrijp echt niet welke les hij mijn moeder wil leren, maar misschien is het ook beter dat ik het niet begrijp. Volgens mij kun je het alleen begrijpen als je volwassen bent. Voor een keer ben ik blij dat ik nog een puber ben.

'Waar ga je dan slapen?'

'In een hotel.' Hij ritst de reistas dicht.

'Vergeet je tandenborstel niet.'

'Goed idee,' lacht hij even naar mij.

Ik vergeet altijd dat ouders ook maar mensen zijn en gevoelens hebben. Zeker bij mijn vader durf ik het al eens te vergeten. Ik krijg er een krop van in de keel. Het is te belachelijk en veel te erg voor hem als ik hier ook nog een potje ga huilen. Als er niets gebeurd is, dan komt het wel in orde, stel ik mezelf gerust. Mijn moeder is gewoon een dramaqueen.

'Ik bel je morgen wel,' zegt mijn vader, terwijl hij de tas sluit en me een kus op mijn voorhoofd geeft. 'Het komt wel in orde, prinses.' Het is nogal een melig beeld om mijn vader zo te horen praten, maar ik neem het hem niet kwalijk.

Ik hoor hem de trap af lopen en even later de deur achter zich dicht-slaan. Ik ga op het bed zitten en neem de kamer in me op. Misschien is dit wel het begin van het einde. Misschien woon ik binnenkort wel in een ander huis of in twee huizen. Krijg ik dan dubbel zakgeld? vraag ik me plots af. Dat moet ik eens aan Claire vragen. Bedoelde ze dat misschien met die tips?

STATUS: SOS! Hoe los ik dit op?

Zoals voorgenomen, stuur ik nog een mailtje naar Thomas. Ik kan hem maar beter op de hoogte brengen, dan komt hij niet voor verrassingen te staan als hij iets aan mijn ouders wil vragen. Bovendien is het in een relatie belangrijk dat je communiceert, ook al doen mijn ouders daar voorlopig niet aan mee.

Van: Loulou Roosenbroeck <loulou.roos@hotmail.com>
Datum: 31 maart 20:37
Onderwerp: Crisis!
Aan: Thomas Swaelens <t.swaelens@hotmail.com>

Thomas!!!! Need youuuuuuuuuuuuuuu!
Surf naar de website van GOSSIP (het tijdschrift!) en dan weet je waarover ik praat.
Heb ook veel te dure schoenen gekocht en heb nu zelfs geen geld meer voor een blikje cola :s
x

Voor ik onder de lakens kruip, kijk ik nog even op de chat, maar zoals verwacht zijn Violet en Hind niet online. Ik stuur Violet nog een bericht.

SOS! HOE OVERLEEF IK EEN HUWELIJKSCRISIS
VAN MIJN OUDERS? X

In bed wacht ik met Spinner op mijn buik geduldig op een antwoord. Tot mijn ogen dichtvallen van vermoeidheid. Ik schiet op als ik het geluid van een inkomend sms'je hoor. Een bericht van Stuart! O nee! Zou hij ook iets vernomen hebben?

GREAT OM JE TE ONTMOETEN ☺
MORGEN OM 15U IN DE SMOOTHIEBAR.
STU-ART

Is dit een bevel? Op een vraag lijkt het niet. Ik weet niet of ik zal gaan, maar ik denk het niet. Ik gooi mijn gsm op het tapijt, kruip diep onder de lakens en in een mum van tijd val ik in slaap.

Donderdag 1 april

STATUS: Help! Bestaan er leuke weekendbaantjes?

Als ik mijn kamerdeur opendoe, hoor ik een lawaai van je welste. Het komt van beneden. Ik hoor vooral Paula van alles in het Pools roepen waarvan ik de vertaling liever niet weet. Potten en pannen kletteren op de grond, de radio speelt hard en J&B zijn heftig met elkaar aan het discussiëren. Ik gooi mijn deur meteen weer dicht en besluit om me nog heel even terug te trekken in mijn kleine, rustige cocon.

Spinner is duidelijk dezelfde mening toegedaan, want hij verstopt zich onder de donsdeken. Een blik op mijn klok zegt me dat ik nog welgeteld drie uur als zorgeloze studente heb. Als ik mijn rapport gekregen heb, zal mijn enige bezorgdheid nog zijn hoe ik mijn fysicakennis naar een hoger niveau kan tillen. Met een beetje geluk is dat mijn enige onvoldoende.

Sinds gisteravond heeft mijn moeder mijn vader ingeruild voor twee mannen. Volgens haar begrijpen J&B haar het best, het zijn mannen met de empathie van vrouwen en ze weten dus perfect wat ze nodig heeft. Een doos papieren zakdoekjes, pure chocolade, vanwege het lage aantal calorieën, en een rits verwijten aan haar concurrente, de jonge vrouw met wie mijn vader gefotografeerd is.

Terwijl ik nadenk wat ik de volgende uren ga doen – thuisblijven is met dit lawaai geen optie – zoek ik de ideale outfit om straks mijn rapport in ontvangst te nemen.

Misschien moet ik er niet al te best uitzien, ik weet uit goede bron dat GOSSIP het goed doet in de leraarskamer. Violet heeft mevrouw Baetens namelijk eens betrapt toen ze haar opdracht over de Tweede Wereldoorlog moest indienen. Als ik er straks wat pips uitzie en ze hebben GOSSIP gelezen, dan hebben ze meteen een verklaring voor mijn slechte punten en zullen ze misschien wat milder zijn aan het eind van het schooljaar. Het is een tactiek die kan werken.

Maar wat zal ik dan aantrekken? Mijn krullen kan ik in ieder geval beter onaangeroerd laten, de verwardheid straalt ervan af. Ik trek mijn inloopkast open en ga op zoek naar fletse kleding. Dat is geen gemakkelijk opdracht, aangezien ik dat soort kleding juist niet koop. In de hoek van mijn kast smeken mijn sneakers om nog eens aangetrokken te worden. Ik twijfel even, maar bedenk dan dat hakken het niet goed zullen doen als pipse outfit.

'Oké, jongens,' spreek ik ze aan, 'jullie mogen vandaag nog een keer aan de voeten.'

Nu alleen nog iets om tussen mijn krullen en sneakers te dragen, niet zo onbelangrijk, zou ik zo denken.

'Darling!' Op hetzelfde moment wordt er op de deur geklopt. 'Darling, opstaan!' Ik herken de stem van Benny.

'Ik ben al wakker,' roep ik vanuit mijn inloopkast. Ik weiger om open te doen en mijn ochtend te beginnen met een betuttelende kus en een aai over mijn hoofd.

'Het ontbijt staat klaar, we wachten op je.' Ik hoor dat hij aan de deur blijft wachten tot ik iets zeg. Hij is het niet gewoon om met een puber in huis te leven, al die inspanningen: ontbijt klaarzetten, naar boven komen, op me wachten tot ik antwoord geef en opendoe.

'Oké!' antwoord ik en ik concentreer me weer op mijn outfit voor straks. Ontbijten kan later wel, als J&B hier willen wonen, dan beter meteen de harde pijn. Wij ontbijten zelden samen en pubers zoals ik kunnen 's ochtends wel eens lastig doen en de sfeer verpesten. Daar kunnen we weinig aan doen, want dat zijn onze hormonen die veranderen.

Ondertussen is Benny weggegaan met het vooruitzicht dat ik zo dadelijk gezellig met hen zal ontbijten. Ik weet dat ze graag een kind willen waarmee ze gezinnetje kunnen spelen, dit is dus een goede oefening, want het leven met kinderen kan ook een nachtmerrie zijn.

Dat ze hier gisteren zijn binnengevallen, kan ik nog begrijpen, omdat het de beste vrienden van mama zijn, maar dat ze mijn vader tijdelijk de deur hebben gewezen, vond ik vreselijk.

Ik mag papa straks trouwens niet vergeten te bellen, waarschijnlijk heeft hij kleren of andere spullen nodig, want hij had amper tijd om zijn tandenborstel mee te nemen. Voor de eerste keer in mijn leven had ik medelijden met hem. Bovendien wil ik ook dat het hier snel is opgelost, anders hangt mijn acteercarrière aan een zijden draadje. Mijn vader is tenslotte de enige die deuren in de showbizz kan openen.

Eindelijk vind ik het juiste T-shirt voor mijn fletse outfit: een lichtbruine marcel. Als ik daar mijn zwart vestje op draag en een bleke jeans zonder accessoires en zonder mascara, dan moet de ellende van mij afdruipen.

Mijn gsm biept, een bericht van Max. Die is er vandaag ook vroeg bij.

VANDAAG WETEN WE HET!
SPANNEND! X

Het duurt enkele seconden voor ik begrijp waarover hij het heeft. De auditie! Ik was het helemaal vergeten na alle heisa gisteren. Vandaag bellen ze ons als we de rol hebben. Plots stroomt er een golf zenuwen door mijn lijf. Het wordt inderdaad een spannende dag, zowel de uitslag van mijn rapport als van de auditie. Vandaag kan mijn hele toekomst een andere wending krijgen. Een goed rapport betekent meteen ook zekerheid tot slagen dit schooljaar, een slecht rapport wil zeggen dat ik nog een zwaar trimester voor de boeg heb. De rol hebben betekent kansen op andere filmrollen en als ik de rol niet heb, moet ik alleen maar sneller naar Hollywood dan ik gepland had, want het wil zeggen dat ze mijn spel hier niet begrijpen.

Straks na school zal ik hoogstwaarschijnlijk wel een goede smoothie of een straffe café frappé nodig hebben om al mijn emoties van de dag door te spoelen. Ik moet wel de smoothiebar van Stuart vermijden, anders denkt hij dat ik speciaal voor hem ben gekomen, terwijl ik alleen een smoothie wil drinken.

Ik veronderstel dat het rapport er niet echt veelbelovend uitziet, maar de auditie zal wel geslaagd zijn. Dat betekent dat ik vandaag van de ene emotie in de andere zal vallen. Ik zal Violet en Hind alvast waarschuwen dat een terrasje noodzakelijk is.

Eerst sms ik het volgende naar Max.

RIL RIL RIL ;-)
DUIMEN MAAR!
KRUL X

Dan stuur ik Hind en Violet hetzelfde bericht.

STRAKS SMOOTHIE TIME!
VEEL TE VERTELLEN.
KRUL X

Als ik een halfuur later beneden kom, kijken J&B me beteuterd aan. Mijn outfit werkt blijkbaar.

'Wij hebben al ontbeten.' Jean Jacques klinkt teleurgesteld.

'We hebben nog tien minuten op jou gewacht,' neemt Benny het even teleurgesteld over. 'Waarom kom je niets zeggen?'

'Moet je niet naar school?'

'Ga je zo de deur uit?' Allebei staan ze tegen het aanrecht, Jean-Jacques met zijn armen over elkaar, Benny met een kop koffie in zijn handen.

Als ze kinderen willen, zullen ze toch moeten leren minder te zeuren, denk ik bij mezelf, of die kinderen zullen snel weglopen.

'Waar is mama?' vraag ik.

Ze kijken me verbouwereerd aan, omdat ik al hun vragen onbeantwoord laat.

'In haar kamer,' antwoordt Benny, compleet van zijn melk. Hij is het niet gewoon om tegengesproken te worden.

Ik hoop dat ze beseffen dat ik rebels ben om hen te helpen, zodat ze zich kunnen voorbereiden op hun eventueel ouderschap.

Zachtjes klop ik op de slaapkamerdeur van mijn moeder, maar ik krijg geen reactie. Ik klop iets harder, maar nog steeds niets. Ik duw de deur op een kier, zodat ik binnen kan kijken. Een zwaar geronk klinkt door de kamer. Mijn moeder ligt op haar buik dwars op het bed in een diepe slaap. Haar witte slaapjurkje is opgetrokken tot net onder haar billen, gelukkig maar, want mijn moeder slaapt om hygiënische redenen zonder ondergoed en een dergelijke aanblik heb ik vanochtend echt niet nodig.

Op kousenvoeten sluit ik de deur en sluip ik weer de trappen af. Voorlopig is het beter dat mijn moeder in een diepe roes ligt, in de hoop dat ze daarna uitgeslapen is en helder kan denken om de situatie snel op te lossen.

Beneden in de hal bots ik op Paula, die haar jas aantrekt.

'Ga je al weg?' vraag ik haar met de bijbehorende gebaren.

'Ai, ai, ai!' jammert ze en ze wijst naar de keuken. Paula klaagt wat in het Pools en zegt dan tegen mij in gebrekkig Nederlands: 'Ik niet hier.' Waarop ze weer naar J&B wijst om vervolgens haar woorden kracht bij te zetten met een overdreven nee schuddende vinger. Ze sluit krachtig de rits van haar jas en gooit de deur achter zich dicht. Verbijsterd blijf ik staan. Wat heeft dit te betekenen?

In de keuken zie ik Jean-Jacques afwassen en Benny afdrogen, terwijl ze het over mijn moeder hebben. Meteen begrijp ik waarom Paula het afbolt, ze hebben haar werk afgenomen.

'Dat is wel de taak van Paula,' zeg ik streng, alsof ik twee kinderen berisp.

'Maar wij kunnen dat toch ook doen?' antwoordt Jean-Jacques. 'Dan spaart je moeder geld uit.'

Ik ben geschokt. Moeten wij dan op ons geld letten? Is deze situatie al zo uit de hand aan het lopen dat we een financiële ondergang tegemoet gaan? O nee! Moet ik binnenkort een weekendbaantje zoeken omdat mijn ouders een dure scheiding te regelen hebben?

'JJ en ik hebben enkele dagen vrij genomen, dus kunnen wij evengoed afwassen en koken,' zegt Benny.

Enkele dagen, herhaal ik in mezelf, ze zijn vanavond dus nog niet weg. Ze denken zelfs dat de situatie enkele dagen kan duren. Ik slaak een diepe zucht.

'Ik ga,' zeg ik en ik zwier mijn tas over mijn schouder.

'Veel plezier!' wuift Benny me uit. Volgens mij is hij helemaal vergeten wat het is om naar school te gaan. Gelukkig weten ze niet dat ik mijn rapport moet gaan halen. Het laatste wat ik nu nodig heb, is een preek van would-be ouders met een vertekend beeld van jongeren. Nog voor Benny me een kus kan geven, draai ik me om en ga ik de deur uit.

'Tot straks, pappie en pappie,' plaag ik hen aan de deur terwijl ik eens kinderachtig met mijn hand zwaai.

'O!' hoor ik Benny, de meest emotionele van de twee, kreunen. 'Zo schattig!'

Ik draai met mijn ogen, ik zou niet graag het Colombiaantje zijn dat bij hen terechtkomt, de ene betuttelt en de andere beveelt. Wat moet daar niet uit voortkomen? Als jongen een militair in tutu en als meisje een ballerina in legeruniform?

Op de tram krijg ik een bericht van mijn vader, maar nog steeds geen antwoord van Violet of Hind. Uit besparingsoverwegingen zullen ze wachten tot op school. Mijn vader stuurt het volgende bericht, dat meer weg heeft van een brief.

HOI PRINSES, ZIJN J&B ER NOG? HOE IS HET MET MAMA? KAN HAAR NIET BEREIKEN. IK HEB DRINGEND MIJN SCHEERAPPARAAT NODIG. KUN JIJ HET VOOR ME KLAARLEGGEN? WAT MOET IK NU DOEN? PAPA.

Een hele brief met veel te veel vragen. Waarom belt hij niet gewoon even? Ik kan hem onmogelijk bellen, want dan is mijn beltegoed op. Aangezien mijn zakgeld op dit moment serieus verwaarloosd wordt en het in de toekomst alleen maar zal krimpen als ik J&B moet geloven, moet hij mij maar bellen.

BEL ME STRAKS, HEB GEEN BELTEGOED MEER EN ZAKGELD IS OP.

Dat van het beltegoed is gelogen, ik heb nog genoeg, maar dat houd ik liever voor noodsituaties als ik Violet en Hind moet bellen. Daarbij komt nog dat de post-its voor mijn zakgeld nu ook hun werk niet zullen kunnen doen. Het heeft geen zin om ze overal te plakken als mijn vader niet thuis woont en mijn moeder haar kamer niet uit komt.

Het bericht is nog maar pas verzonden of mijn vader belt al.

'Dag papa.'

'Dag prinses.' Wat ben ik blij dat niemand op de tram mijn vader kan horen. Niets zo vernederend als prinses genoemd te worden in het bijzijn van anderen. De enige keer dat ik gevleid was met deze begroeting was ik zes en droeg ik elke dag een roze jurk met zilveren kroontje.

'Is het thuis al overgewaaid?' vraagt hij. Overgewaaid? Alsof gisteren niet veel voorstelde. Mijn vader bedriegt mijn moeder met een veel jongere vrouw, het hele land weet ervan en hij vraagt of het overgewaaid is.

'Papa, je hebt mama bedrogen,' fluister ik, maar de vrouw naast mij heeft het gehoord en kijkt me geschokt aan. 'Je zult een goede uitleg moeten hebben.' De dame klikt met haar tong en schudt afkeurend het hoofd. Waar bemoeit ze zich mee? Ik draai me wat van haar weg en houd mijn hand voor de telefoon en mijn mond, zodat geen woord de andere kant opvliegt.

'Maar ik heb haar niet bedrogen, dat heb ik gisteren toch al gezegd!' roept papa wanhopig door de telefoon. 'Annika is de dochter van meneer Brockstein, die er trouwens ook bij was. Het regende. Hij ging alvast de wagen halen terwijl Annika en ik aan de ingang wachtten. Ik heb haar vastgenomen omdat ze fijne hakjes droeg en schrok van de pers die er stond.' In één ruk is het eruit.

'Waarom kan meneer Brockstein dat niet bevestigen?' De detective in mij komt naar boven.

'Die zit alweer in Duitsland en daar verkopen ze GOSSIP niet.'

'Waarom bel je hem dan niet?'

'Ik ga hem daar echt niet mee lastigvallen, hij is veel te belangrijk. Hij zou er trouwens eens goed om lachen.'

Wat een nare man is dat dan wel. Beseft hij wel wat hij allemaal op het spel zet?

'En Annika?' vraag ik. Het zou me niet verwonderen als ze in volle Pippi Langkousperiode geboren is.

'Denk je dat zij met mama moet praten?' Er klinkt twijfel in de stem van mijn vader. Niet geheel onterecht, want ik weet niet of het een goed idee is om haar met mijn moeder te confronteren. Mama is op dit moment nog niet redelijk genoeg. Een twintig jaar jongere versie van zichzelf zal daar geen verandering in kunnen brengen, vrees ik.

'Papa, ik moet eruit,' zeg ik als ik merk dat ik aan de halte van de school ben.

'Waaruit?' vraagt hij.

'Ik zit op de tram.'

'Ha, oké,' zegt hij. Voor de rest blijft het stil aan zijn kant. Ik neem mijn tas en worstel mij een weg naar de uitgang.

'Papa?' vraag ik zodra ik buiten ben om te horen of hij er nog is.

'Ja.'

'Ik zal mama alles vertellen. Het komt wel in orde,' stel ik hem gerust, hoewel ik daar zelf niet van overtuigd ben. Maar iemand moet de moed erin houden en in dit geval ben ik dat.

'Ik moet ophangen, want ik moet naar school.' Ik durf niet zo goed zeggen dat ik mijn rapport moet gaan halen. Daar wacht ik liever mee tot ik zelf de resultaten heb.

'Kun je mijn scheerapparaat klaarleggen?' smeekt hij bijna. 'Ik kom het vanavond halen.'

'Zal ik doen, tot straks.' Ik heb medelijden met hem, het moet vreselijk zijn om je eigen huis niet meer binnen te mogen en niet aan je spullen kunnen. Dat zou een nachtmerrie voor mij zijn! Meer dan twee dagen dezelfde kleren dragen, geen gel om mijn krullen in bedwang te houden en het ergste van allemaal: mijn puistenverdelger niet bij me hebben terwijl ik op dergelijke momenten natuurlijk net puisten krijg van de stress. Alleen al het idee aan al die witte etter doet me walgen.

STATUS: Wat is het ergste: een slecht rapport, geen filmrol, ruziënde ouders of J&B die zich over je ontfermen?

Punaise! Het is nog maar halftien, maar het lijkt alsof ik al een hele dag achter de rug heb. En ik heb nog niet eens mijn rapport gekregen.

Als ik op school aakom, heb ik nog heel even tijd. Zowel Hind als Violet zijn er nog niet en dus besluit ik om nu al een mailtje naar Thomas te sturen.

Voor één keer zwier ik de deur van de bibliotheek niet open en mevrouw Luypaerdt, de bibliothecaris, is dan ook blij verrast.

'Juffrouw Roosenbroeck, uw leven aan het veranderen?' zegt ze een beetje cynisch, hoewel ze geen idee heeft dat het heel raak is wat ze zegt.

'Dat is het minste wat je kunt zeggen,' zeg ik en ondertussen geef ik mijn pasje aan haar.

'Oei, slecht rapport?' vraagt ze bezorgd terwijl ze computer drie aanwijst.

'Dat kan nog komen.' Ik zeg het met een glimlach, waardoor mevrouw Luypaerdt een verwarde blik uitstraalt.

'www.gossip.be,' fluister ik haar toe voor ik naar computer drie ga.

Als ik voor de computer zit, zie ik hoe mevrouw Luypaerdt met haar hand voor haar mond geschokt naar haar computerscherm kijkt. Het is me niet echt duidelijk of ze nu naar schunnige foto's van een beroemdheid kijkt of dat ze het artikel van mijn vader leest en helemaal ontdaan is door mijn oude foto die erbij staat. Hoe dan ook, het kan me weinig schelen. Ik besluit om Thomas een mailtje te sturen. Ook al staat hij hier over twee dagen, toch vind ik het mijn plicht om hem te mailen.

Ik slik als ik merk dat er een mail is van het productiehuis. Plots is Thomas naar de achtergrond verdwenen. Ik probeer mijn zenuwen onder controle te houden en staar enkele minuten naar het scherm zonder het mailtje open te doen. Alsof mijn gedachten de letters in de mail op telepathische wijze kunnen veranderen. Met trillende hand klik ik de mail open en ik begin te lezen.

Van: Myriam de Waele <Myriam@cameratesk.be>
Datum: 1 april 09:46
Onderwerp: auditie Disco
Aan: Loulou Roosenbroeck <Loulou.roos@hotmail.com>

Beste Loulou,

Eerst en vooral nog eens bedankt dat je hebt deelgenomen aan de auditie. Helaas moeten we je meedelen dat je de rol van 'jong meisje' niet hebt. Omdat er veel kandidaten waren, kunnen we onmogelijk iedereen feedback geven waarom hij/zij niet geselecteerd is. Hopelijk kun je daar begrip voor opbrengen.

We wensen je nog veel succes met alles wat je onderneemt.

Met vriendelijke groeten,
Myriam de Waele
Producer Camaratesk

'Wat?' roep ik stomverbaasd uit, waarop mevrouw Luypaerdt me onmiddellijk aanmaant om stiller te zijn, ook al zijn wij de enigen die in de bibliotheek zitten.

Ze hebben zich vergist! Ik bedoel, de film gaat over jongeren in een disco, mijn krullen zijn toch helemaal disco. Hebben ze die misschien over het hoofd gezien? Bovendien was mijn auditie steengoed. Eigenlijk is het de schuld van mijn tegenspeler, een amateur, zijn tegenspel was verschrikkelijk slecht. Volgens mij hebben ze dit bericht naar de verkeerde Loulou gestuurd. Dit kan gewoonweg niet.

Van: Loulou Roosenbroeck <Loulou.roos@hotmail.com>
Datum: 1 april 11:12
Onderwerp: Re: auditie Disco
Aan: Myriam de Waele <Myriam@cameratesk.be>

Beste Myriam,

Ik veronderstel dat dit mailtje een vergissing is. Zou het kunnen dat er nog een Loulou aanwezig was en u zich vergist heeft van e-mailadres?

Groetjes,
Loulou Roosenbroeck

Ziezo, verzonden. Ik wacht nog even om Max op de hoogte te brengen tot Myriam haar fout heeft rechtgezet. Anders gaat Max hetzelfde doen en bij hem zal het vast en zeker geen fout geweest zijn, wat het alleen maar erger maakt. Nadat ik met Violet en Hind de smoothiebar in ben gedoken, zal ik mijn mails nog eens bekijken. Ik moet Myriam tenslotte een beetje tijd geven om het op te lossen. Vooral om aan die andere Loulou te laten weten dat ze zich vergist heeft. Het arme meisje.

De blik van mevrouw Luypaerdt straalt medelijden uit als ze mijn pasje teruggeeft. Met een droevig gezicht beantwoord ik haar blik.

'Och, meid, het komt wel goed,' fluistert ze me toe terwijl ze met haar hand in de mijne knijpt. Ik knik en doe alsof ik probeer te glimlachen. Wat ben ik een fantastische actrice. Myriam heeft zich duidelijk vergist. Zelfs mevrouw Luypaerdt trapt erin, waaruit ik meteen kan opmaken dat mijn kledingkeuze voor vandaag ideaal is voor de rol van 'kind van bijna gescheiden ouders' en 'slachtoffer van de media.' Ik moet het nu alleen proberen vol te houden tot we om één uur naar huis mogen.

Als ik buiten ben, zie ik nog steeds niemand van mijn jaar, alleen leerlingen van het derde en vierde, die uitgelaten zijn over hun punten. Degene die het niet zo schitterend gedaan hebben, gaan er meestal snel vandoor. Dat ga ik waarschijnlijk straks ook doen, rapport grijpen en Violet en Hind meesleuren om een glas te gaan drinken. Er valt veel bij te praten na elkaar één dag niet gezien of gehoord te hebben.

De volgende twintig minuten zit ik op het bankje, dat tot mijn grote geluk volle zonnestralen opvangt.

'Hey, prinses zonder tanden!' Ik herken de stem en spring op. Violet moet lachen om haar eigen uitspraak. Ik vergeef het haar en vlieg haar om de hals.

'O! Eindelijk!' Zonder het te voelen aankomen, springen er tranen in mijn ogen. Ik knipper heel snel met mijn ogen om ze te verdringen. De spanning van gisteren en de afgelopen uren hebben hun tol geëist. Violet klopt op mijn rug.

'Loslaten,' kreunt ze. Het is erg met mij gesteld, want onbewust heb ik haar in een wurggreep vastgenomen. Zo hard heb ik haar en Hind gemist.

'Sorry,' fluister ik en ik schik meteen haar bloesje recht dat door mijn greep helemaal scheef was gaan zitten. 'Waar is Hind?' vraag ik rondkijkend. Violet haalt haar schouders op.

'Ze zal wel komen. Hoe gaat het eigenlijk met jou?' vraagt ze lichtjes bezorgd en ze gaat naast me op het bankje zitten. Haar benen zijn wijd open gestrekt en haar ellebogen steunen op de rugleuning, haar ogen zijn dicht en naar de zon gericht. Haar houding verraadt dat ze denkt dat het allemaal nog meevalt, dat ik me meestal als dramaqueen gedraag.

'Hebben je ouders er eens goed om kunnen lachen?' vraagt ze lachend. 'Want wat in de boekjes staat, is toch niet waar, hè, dat weten ze toch ook.'

Ik weet even niet wat zeggen. Violet denkt dat het allemaal een grap is. Was mijn noodkreet gisteren dan niet duidelijk?

'Mijn vader woont even op hotel,' antwoord ik gelaten, maar vooral teleurgesteld dat Violet mijn situatie niet serieus neemt.

'Op hotel?' antwoordt ze verbaasd en ze opent daarbij haar ogen om naar mij te kijken. Ik knik en zucht.

'De boekjes hebben niet altijd ongelijk, of toch voorlopig,' zeg ik haar. Violet is aangeslagen, ze gaat rechter zitten en draait zich naar me toe.

'Wauw!' is het enige wat ze kan zeggen. 'En ik mijn moeder maar verwijten dat ze haar geld uitgeeft aan rommelboekjes.'

'Violet!' roep ik aangedaan. Hoe durft ze zoiets te zeggen, mijn ouders staan op het punt om te scheiden en zij heeft het over die stomme boekjes die verantwoordelijk zijn voor de hele situatie.

'Sorry, Lou.' Violet legt een hand op mijn been als teken van begrip, maar ik vind het een beetje een vreemd gebaar. Het heeft iets flirterigs.

'Wat is hier aan de hand?' Hind staat voor ons en kijkt naar Violet, die haar hand op mijn been heeft liggen.

'Stoor ik?' vraagt ze een beetje lacherig, maar tegelijk kijkt ze met een onzekere blik naar de hand van Violet.

'De ouders van Lou gaan scheiden,' zegt Violet met bittere ernst.

'O nee!' Hind is van slag en legt net als Violet haar hand op mijn been. Ik kijk ernaar. Het voelt onwennig, die twee handen op mijn been.

'Ze zijn nog niet gescheiden,' zeg ik terwijl ik mijn been van hun handen wegtrek.

'Wat is er dan gebeurd?' vraagt Hind onbegrijpelijk.

Violet draait met haar ogen. 'Jij zou toch ook beter wat meer boekjes lezen, dat bespaart ons een hele uitleg.'

Nu fronst Hind haar wenkbrauwen nog meer. Ze begrijpt er helemaal niets van. 'Welke boekjes?'

Violet zucht geërgerd. 'De rod-del-boek-jes!' roept ze, met de nadruk op elke lettergreep.

'Maar die moet je toch niet geloven? Dat zeggen ze toch.'

'Blijkbaar mag je ze wel geloven,' zegt Violet.

'Wat is er dan?' vraagt Hind ongeduldig.

'Wel,' begint Violet, 'de vader van Lou is betrapt met een jongere versie van haar moeder. De hele cover van GOSSIP is ermee gevuld. En een sappig detail, binnenin staat een foto van Lou zonder tanden en met twee staarten gewikkeld in roze tule.' Bij dat laatste schiet Violet in de lach.

'Zonder tanden?' vraagt Hind verbaasd.

'Ik was zes!' maak ik haar duidelijk. Is dat het enige wat ze kan zeggen?

'Die foto wil ik wel zien.' Hind wrijft al in haar handen van plezier. 'Ik ga dadelijk ook de GOSSIP kopen.'

Ik ben totaal verontwaardigd. 'Punaise! Zijn jullie vriendinnen of bitches?' vraag ik hen.

Violet en Hind stoppen met lachen.

'Sorry, Lou, maar het komt wel in orde,' zegt Violet.

'Ja, hoor,' vult Hind haar aan. 'Je moeder gelooft die onzin toch niet?'

'Toch wel,' zucht ik. 'Ze is er helemaal kapot van.'

'Maar is het dan echt gebeurd?' vraagt Hind.

'Mijn vader beweert van niet.'

'Wel, wat is het probleem dan?'

'Leg dat maar eens aan mijn moeder uit.' Ondertussen gaat de bel.

'Aargh, we worden naar het front gebracht,' speelt Violet overdreven angstig.

Hind en ik moeten er allebei om lachen, maar tegelijk verlammen mijn spieren langzaam van de zenuwen. Hoe erg is dit rapport? Ik hoop dat ze het thuis voor een keer door de vingers zien. Nu Thomas op bezoek komt, kunnen ze me toch onmogelijk huisarrest geven of nog erger: extra lessen fysica laten volgen. Dat zou de grootste marteling zijn die ze me ooit kunnen aandoen. Dan zou ik mijn ouders meteen aanklagen voor kindermishandeling. Maar zover is het nog niet, ik moet nog niet panikeren.

In de klas zit iedereen gespannen achter zijn bank, sommigen toch, onder wie Claire en ik. Maar in het geval van Claire is dat begrijpelijk, het is bij haar altijd een kwestie van erop of eronder. Ze heeft zelfs ooit eens een nul gekregen voor plastische opvoeding. De leerkracht was een ruimdenkende man die expressie in plaats van techniek vooropstelde, wat inhield dat je alles kon doen op je tekenblad. Achteraf moest je gewoon verzinnen wat je ermee bedoelde. Claire had een wit blad afgegeven en noemde het De leegte. Ik vond het fantastisch, maar de leerkracht niet, zo ruimdenkend was hij nu ook weer niet.

Michiel en Hind lijken daarentegen op vakantie, zo ontspannen zien ze eruit. Meestal hebben ze ook niets te vrezen. Ik kan me niet herinneren dat Hind in onze hele schoolcarrière samen ook maar één keer gezakt is geweest voor een vak.

Meneer Beyers, alias de zweetcirkel, staat vooraan in de klas met een stapel rapporten voor zich op de lessenaar en houdt een kleine toespraak, maar de inhoud ontgaat me helemaal. De kringen onder zijn oksels zijn duidelijk zichtbaar in zijn wit hemd, er verschijnen al gele opgedroogde zweetranden en het is nog maar middag. Ik hoop voor hem dat hij snel naar huis kan. Momenteel kan ik me met moeite nog concentreren. Overmorgen komt Thomas aan en ik kan hem thuis niet eens deftig ontvangen, tenzij mijn ouders het vandaag of ten laatste morgen bijleggen, zodat ook J&B het huis uit zijn. Misschien moet ik hem meenemen naar Queen Oma? Het is een mogelijkheid, zondag verwacht ze ons trouwens voor Pasen. Een bord meer of minder maakt niet uit. Alleen moet ik Thomas eraan herinneren dat hij niet mag vertellen dat hij in Moskou woont, Queen Oma en de Russen is niet bepaald grote liefde. Het heeft iets met de Eerste Wereldoorlog en haar moeder te maken.

'Juffrouw Roosenbroeck.' Meneer Beyers bekijkt mijn rapport en vervolgens werpt hij me een vertwijfelende blik toe. 'Kan beter,' zucht hij.

Ik wacht gespannen of hij nog iets zal zeggen, maar dan reikt hij mij het rapport aan, waarop ik opsta en het met bibberende knieën ga halen. Zou het zo erg zijn?

'Violet Maenhout,' gaat meneer Beyers door, maar verder hoor of zie ik niets meer. Ik schuim met mijn ogen alle punten af en daar staat het dan in het rood, alsof ik het anders niet zou zien: *Fysica – 15/100*. Ik slik even, zo erg had ik het nu ook niet verwacht. Dit haal ik nooit op in het derde trimester, daar moet een wonder voor gebeuren. Ik kijk snel naar de andere vakken. Behalve een nipte overwinning voor lichamelijke opvoeding ziet de rest eruit zoals verwacht, mooie punten zonder hoogvliegers, een goed gemiddelde.

Dat ik 55 op 100 haal op lichamelijke opvoeding verwondert me niet, ik lig steeds in de clinch met mevrouw Liekens. Onze ideeën over sport staan lijnrecht tegenover elkaar. Zij vindt dat ik wat meer moeite moet doen om de bal op te vangen tijdens een wedstrijd volleybal, maar ik heb geen zin om mijn ellebogen en knieën over de harde sportvloer te laten glijden. Als het voor een filmrol zou zijn, dan zou ik alles geven, maar het is voor school en alleen voor de eer ga ik niet naar huis met geschaafde ellebogen en knieën.

'Ik wens jullie een fijne vakantie toe en voor sommigen onder jullie een beter derde trimester,' hoor ik meneer Beyers afronden. Met dat laatste zal hij ook wel mij bedoelen. Iedereen schuift zijn stoel met het nodige lawaai naar achteren en de meeste onder hen verlaten enthousiast de klas, inclusief Hind en Violet.

'En?' vraagt Hind. 'Is het heel erg?'

Beteuterd kijk ik haar aan en ik knik.

'Ik help je wel door het derde trimester heen.' Hind bokst zachtjes tegen mijn schouder als ze het zegt en maakt daarbij een knipoog.

'Trouwens nog twee nachtjes slapen!' Ze benadrukt de twee nog eens met haar vingers.

'Weet je al wat je nu gaat doen op dag zeven?' vraagt Violet. We zijn nog maar net bij de trappen gekomen en mijn vriendinnen hebben ervoor gezorgd dat ik mijn rapport naar de vergetelheid heb gedrukt. Mijn humeur is alweer een stuk beter, zeker als ik nog maar aan Thomas denk.

'Gaan we om een smoothie? Of liever een ijsje?' stel ik goedgeluimd voor.

Violet kijkt op haar uurwerk.

'Ik vrees dat ik daar geen tijd voor heb vandaag, ik heb straks training.'

Ik kijk hoopvol naar Hind.

'Idem hier. Sorry, Lou,'

'Jij hebt toch pas om vier uur die computercursus,' merk ik op.

Hind trekt een niet-boos-op-mij-zijngezicht. 'Ik heb met iemand afgesproken.'

'Met wie?' val ik haar aan. Heeft ze andere vriendinnen? Ik kijk naar Violet of zij hier meer van weet, maar die kijkt even verrast als ik.

'Ja, met wie? Vertel,' plaagt Violet haar.

Hind twijfelt even of ze het zou zeggen.

'Met Théo,' flapt ze er snel uit.

Violet giert het uit. 'Théo! Wie heet er nu zo?' Ze blijft lachen.

'Wie is dat?' vraag ik verwonderd en ik trek Violet bij haar arm om haar te doen stoppen met lachen.

'Hij zit samen op de cursus, we gaan gewoon iets drinken en programma's uitwisselen. Niet meer.' Dat laatste benadrukt ze, terwijl ze speciaal naar Violet kijkt. De manier waarop Hind het vertelt, laat duidelijk blijken dat ze er liever nog mee gewacht had. Aan de andere kant ben ik blij dat ze het verteld heeft. Nu hoeven we ons alle drie niet schuldig te voelen als we elkaar weinig zien in de vakantie, want we hebben alle drie een lief dat bij ons is. Of voor Hind toch een bijna-lief en voor mij een lief dat er bijna is.

Als we buiten zijn, gaat mijn gsm. Met mijn rechterhand grabbel ik in mijn tas. Na een sleutelbos, een portemonnee, een handvol potloden en pennen, en een flesje water vind ik net op de tijd mijn telefoon. Het is Max. Hij belt waarschijnlijk naar aanleiding van het mailtje dat hij gekregen heeft, maar ik wil eerst dat van mij nog bekijken en dan eens zien hoe ik het beste tegen Max zeg dat ik de rol wel heb. Ik laat mijn gsm rinkelen.

'Pak je niet op?' vraagt Violet.

'Heb er nu geen zin in.'

'Wie is het?' vraagt Hind. Ik kan onmogelijk zeggen dat het Max is, want dan zouden ze denken dat we ruzie hebben. En bovendien heb ik geen zin om hen uitleg te geven over het foute mailtje. Ik wil zekerheid vooraleer ik hun het goede nieuws kan vertellen. Hij zal wel iets achterlaten op mijn antwoordapparaat.

'Jean-Jacques,' lieg ik.

Hind en Violet begrijpen het meteen en slaken gezamenlijke een onverschillige 'o'.

'Ik ga.' Violet kust Hind en mij op de wang. 'We bellen elkaar morgen,' zegt ze uit gewoonte.

'Wacht, ik ga mee.' Hind knipoogt geniepig naar mij en werpt me een handkus toe.

Ik observeer even de speelplaats en besluit dat ik hier zo snel mogelijk weg wil. Zelfs mijn mails nakijken doe ik liever thuis dan nog een keer mevrouw Luypaerdt te trotseren. Hoewel ik daar ook twee bevelhebbers het hoofd moet bieden, maar die kan ik makkelijk omzeilen door veel huiswerk te veinzen en me de rest van de dag en avond terug te trekken op mijn kamer. Ze weten toch niet dat het eigenlijk vakantie is. Onderweg naar huis krijg ik nog een bericht van mijn vader:

MAMA AL GESPROKEN? EN?
GROETJES, PAPA

Volgens mij is hij helemaal vergeten dat ik mijn rapport ging halen. Morgen is het ouderavond, ik weet niet goed wie er nu gaat: mama, papa of allebei? Ik moet het even vragen en dan heb ik meteen een goede aanleiding om met mama een gesprek te beginnen. Misschien brengt mijn slechte rapport hen wel weer samen.

STATUS: Is het normaal om een moeder-dochtergesprek te hebben waarbij de rollen omgedraaid zijn?

Ik heb nauwelijks een voet binnen gezet of ik hoor bevelhebber één al roepen: 'Lou, ben jij dat?' Benny komt onmiddellijk in de hal piepen.

'Loulou Roosenbroeck aangemeld!' roep ik terwijl ik een militaire groet maak.

Benny lacht kort en hoog. 'Moet jij niet op school zijn?' vraagt hij verwonderd.

'Nee, halve dag vandaag.'

Hij fronst even zijn wenkbrauwen. 'In mijn tijd was dat op woensdag,' antwoordt hij, waarop hij weer naar de keuken gaat. Ik hoop dat hij zich wat beter informeert wanneer hun Colombiaans adoptiekindje naar school begint te gaan, anders is de kans groot dat het een minder rooskleurig levenspad zal kiezen.

Ik drop mijn spullen in mijn kamer, zet alvast mijn computer aan en begeef me dan naar de slaapkamer van mijn ouders, waar mama al sinds gisteren in bed ligt.

'Mama?' Ik klop op de deur. 'Mag ik binnenkomen?' Zachtjes duw ik de deur open zonder haar antwoord af te wachten.

'Hey lieverd,' kreunt ze. Het lijkt wel alsof een zwerm muggen een vette party hebben gehouden op haar ogen, met als resultaat twee gezwollen, rode ogen. Ze klopt met haar hand op het bed om aan te geven dat ik naast haar moet gaan zitten.

Terwijl ik me naast haar nestel, vraag ik me af of ik nu iets over mijn rapport moet zeggen of het meteen over papa moet hebben. Wat is het minst pijnlijke? Voor haar is mijn rapport het minst pijnlijke, maar dat is het niet voor mij. Mijn vader is voor haar dan weer een pijnlijk onderwerp. Ik zal mezelf maar weer opofferen.

'Mama?'

'Hm.'

'Morgen is het ouderavond op school.'

'Hm,' murmelt ze en ze draait ondertussen haar vinger in mijn krullen. Niet dat ik het aangenaam vind, maar als dit het begin van een deftig gesprek is, laat ik haar maar doen.

'Kom je?'

Ze antwoordt niet meteen, maar draait verder in mijn krullen en staart tegelijkertijd naar haar eigen handeling.

'Alleen?' vraagt ze na een tijdje.

'Eh? Nee, ik ga mee.'

'Hm,' zegt ze weer en ze draait zich om en gaat op haar rug liggen. Ik begin mij af te vragen of J&B haar verdovende middelen hebben gegeven, zodat zij nog langer de plak kunnen voeren. Mijn moeder reageert nogal traag. Tergend traag. Wat moet ik nu doen? Ik moet echt wel weten of mijn ouders morgen naar de ouderavond komen of niet.

'Heb je een rapport gekregen?' vraagt ze uiteindelijk, nadat ze een tijdje in het niets heeft gestaard.

'Ja.' Nu komt het, misschien krijgt ze nu wel een schok door mijn uitslag en is ze weer helemaal de oude. Ergens hoop ik dat het zo is, dan is dat probleem al opgelost, maar iets in mij heeft ook helemaal geen zin in een preek.

'En?'

'Fysica,' zeg ik aarzelend, met de bijbehorende gezichtsuitdrukking.

Er verschijnt een glimlach op haar gezicht. Ik heb nooit geweten dat ik mijn moeder gelukkig kan maken door het woord 'fysica' uit te spreken.

'Dat was ook niet mijn sterkste vak,' zegt ze glimlachend en in haar ogen zie ik een zweem van zoete herinneringen verschijnen. Zou ik ook ooit zo kijken als ik dit later tegen mijn kinderen zeg? Ik kan me niet voorstellen dat meneer Meyer dergelijke gevoelens bij me oproept, integendeel. Mijn ogen zullen gevuld zijn met angst.

Wil ze niet weten hoeveel ik heb? Want dan zal ze beseffen dat het einde van het schooljaar kantje boord zal zijn. In ieder geval zal ze het morgen wel te horen krijgen tijdens de ouderavond.

Er zit momenteel niet veel beweging en vooral niet veel gesprek in mijn moeder, maar ik heb papa beloofd dat ik met haar zou praten, dus ik zal toch door moeten gaan. De vraag is alleen hoe ik het moet aanbrengen. Ik had gehoopt dat de ouderavond een goede aanleiding zou zijn, maar niet dus. Als ik er zo over nadenk, krijgt het woord 'ouderavond' wel een dubbele betekenis in mijn geval.

'Papa komt morgen ook mee,' flap ik er dan maar uit, ook al heb ik hem nog niet op de hoogte gebracht. Ik weet echter dat hij er alles voor over heeft om mama te zien, desnoods zelfs naar een ouderavond komen. Ik heb het woord 'papa' nog maar net uitgesproken of de onderlip van mama begint al te trillen.

'Hij is er nog niet zeker van,' zeg ik, in de hoop dat ze niet begint te huilen. Ze draait zich op haar zij, van mij weg. Het is even stil en dan piep ik even over haar hoofd. Ze staart naar de gordijnen, die volgens mij hypnotiserend werken met al die ruitjes erop. Misschien is dit het moment. Ik heb het papa beloofd.

'Mama, papa slaapt op hotel,' begin ik rustig te vertellen. Ze reageert niet. Ik ga verder met wat papa me allemaal verteld heeft over Annika en haar vader, de pers en de regen. Als afsluiter zeg ik dat hij enorm veel spijt heeft, ook al heeft hij dat niet letterlijk gezegd, maar ik veronderstel dat hij wel spijt heeft. Alle kleine beetjes helpen. En dan krijg ik een fantastische inval.

'Annika is eigenlijk lesbisch.'

Ik hoop dat mama en Annika elkaar nooit tegenkomen, want als mama ontdekt dat ze helemaal niet op vrouwen valt, breekt er ongetwijfeld een tweede crisis los.

Er komt geen reactie, ik piep weer over haar hoofd en merk dat ze haar ogen dicht heeft. Hoe lang ligt ze al met haar ogen gesloten? vraag ik me af. Zou ze alles gehoord hebben?

Ze heeft tijdens het hele verhaal – een gesprek kon je het niet echt noemen – geen vin verroerd. Het kan niet anders of mijn moeder heeft iets ingenomen. Ik kijk even rond en zie op het nachtkastje een wit potje staan. *Oxazepam*, staat er op het doosje. Geen idee wat het is. In het doosje zitten kleine, witte pilletjes die verdacht veel op Tic Tacjes lijken. Ik sluit het doosje weer en herhaal de naam tot ik op mijn kamer ben en voor de computer zit.

Ik kom er al snel achter dat het slaappillen zijn. Ik heb ooit eens een verhaal gelezen over een junkie die vertelde dat zijn verslaving begonnen was met slaappillen. Zolang mijn moeder aan die pillen zit, is het onmogelijk om met haar te praten. Bovendien heb ik geen zin om over enkele jaren een junkie als moeder te hebben. Morgen koop ik witte Tic Tacjes en vervang ik dat hele potje. Ik hoop dat ik nog genoeg geld heb. Als ik mijn bureaulades, zakken en spaarhert doorzoek, moet ik zeker nog aan twee euro komen.

Ik kan het natuurlijk ook gewoon aan mijn vader vragen, hij moet me toch nog zakgeld. Ik veronderstel dat het financiële noodplan nog niet afgekondigd is, anders had ik er wel al van gehoord. Anderzijds is het natuurlijk ook geen goed idee om mijn moeder als een verslaafde af te schilderen, bedenk ik. Dat is niet echt aantrekkelijk voor mijn vader. Voor ik het weet, woont hij samen met Annika, gaat mijn moeder daardoor nog meer pillen slikken en krijg ik uiteindelijk de schuld van alles.

Vanuit mijn tas klinkt het geluid van mijn gsm. Een bericht. Met mijn voet probeer ik de tas te pakken en ze zo naar mij aan het bureau te sleuren. Eerst haal ik mijn rapport eruit, dat ik stante pede naar mijn onderste bureaulade verban. Ik haal mijn gsm boven en zie dat Max me een bericht heeft gestuurd. Ik was het alweer helemaal vergeten.

EN? AL NIEUWS? LAAT IETS WETEN :D

Myriam heeft nu tijd genoeg gekregen om haar fout recht te zetten, dus ze moet zeker gemaild hebben. Net als ik mijn account wil openen, hoor ik beneden gestommel en dan de stemmen van Benny, JJ en mijn vader. Voor de eerste keer in mijn leven ben ik ongelooflijk blij dat mijn vader thuis is.

Ik ren de trappen af en kom terecht in een vervelende stilte. J&B en mijn vader staan zwijgend bij elkaar.

'Het ligt klaar in de keuken.'

'Fijn.' Mijn vader lacht naar mij.

Samen gaan we naar de keuken, maar met J&B in ons kielzog lijkt het alsof we vreemden in ons eigen huis zijn. Ze houden ons in de gaten alsof we iets te verbergen hebben.

Mijn vader neemt zijn scheerapparaat van tafel en laat het aan J&B zien om hen duidelijk te maken dat hij echt wel daarvoor komt. Ik had het daarstraks al klaargelegd toen ik uit school kwam, om er zeker van te zijn dat ik het niet vergat. Het leek me ook geen goed idee dat papa het zelf uit de badkamer zou gaan halen, want dan zou hij ongetwijfeld ook de slaapkamer binnen gaan en mama in zombietoestand aantreffen.

'Heb je het haar verteld?' vraagt mijn vader terwijl hij de laatste en enige doos vanillekoeken uit de kast haalt. Ik kijk moedeloos naar de doos koeken die in zijn tas verdwijnen.

'Ja.'

'En?' vraagt hij hoopvol.

'Ik denk dat ze er nog even over moet nadenken.' Het probleem is dat ik helemaal niet weet of mijn moeder me gehoord heeft of niet. Als ze morgen weer wakker is, probeer ik het opnieuw.

'Oké, ik begrijp het. Bedankt, prinses.' Hij opent nog wat andere kasten, maar haalt er uiteindelijk niets uit.

Als mijn vader met zijn rug naar J&B gedraaid staat, die allebei tegen de keukendeur geleund staan en elke beweging van mijn vader registreren, wijst hij met zijn ogen naar hen, zodat ik het alleen kan zien, en hij trekt een gezicht waar ik om moet lachen.

'Ik ben ervandoor,' zegt hij en hij geeft me nog snel een kus. 'Jean-Jacques. Benny,' zegt hij koel en hij kijkt hen strak aan.

'Dag papa!' roep ik hem na vanuit de keuken.

Ik was helemaal vergeten dat mijn vader ook nog leuk kon zijn. Waarvoor deze situatie al niet goed is, ik leer mijn ouders eens van een andere kant kennen. Als het allemaal weer goed komt tussen hen, zal ik hen er zeker op tijd en stond aan herinneren wat ik allemaal voor hen gedaan heb in deze periode.

STATUS: Ik denk dat ik de uitspraak 'zich aan een strohalm vastklampen' eindelijk begrijp. Volgens mij is Thomas mijn strohalm.

Weer op mijn kamer flikkert het schermpje van mijn gsm. Iemand heeft een bericht gestuurd.

WAAR WAS JE? IK HEB VIJF BANANARAMA'S OP JE GEWACHT. MORGEN NOG EENS PROBEREN. STU-ART

Ik had hem toch helemaal niet geantwoord! Waarom denkt hij dan dat ik kom opdagen? Misschien is dat in Amerika zo. En wat wil hij eigenlijk van mij? Ik kan misschien maar beter antwoorden dat ik morgen niet kom. Bovendien heb ik geen zin om met hem af te spreken. Hij praat toch alleen maar over zichzelf.

KAN NIET. LOULOU

Kort, krachtig en ijskoud. Op zo'n toon is het wel duidelijk dat ik geen zin in hem heb. Onmiddellijk reageert hij weer.

☹ OVERMORGEN? ☺

Punaise, die geeft ook niet op. Ik ga echt niet al mijn beltegoed opmaken aan een Amerikaanse gigolo waarvan ik 100% overtuigd ben dat hij homo is, ook al weet hij het zelf nog niet en ik heb geen zin om het hem duidelijk te maken. Jammer dat ik nog wat te jong ben, anders zou ik hem zeggen dat ik getrouwd ben.

Ik besluit niet meer te antwoorden en open het account van mijn mailbox. Ik zie vijf nieuwe berichten, waaronder vier reclame en eentje van Myriam de producer.

Van: Myriam de Waele <Myriam@cameratesk.be>
Datum: 01 april 11:22
Onderwerp: Re:Re: auditie Disco
Aan: Loulou Roosenbroeck <loulou.roos@hotmail.com>

Beste Loulou,

Ik vrees dat je het verkeerd begrepen hebt. Je hebt een mooie en bijzondere naam, maar helaas was je de enige Loulou en dus hebben we ons niet vergist. Dat je de rol niet hebt, wil niet zeggen dat je een slechte auditie hebt gedaan, maar dat je niet het type meisje was dat de regisseur zocht. Geef zeker niet op en misschien wel tot een volgende keer.

Groeten,
Myriam de Waele
Producer Camaratesk

'Aaaaaarrrrgh!' Verder dan mijn mond die van verbazing openvalt, kom ik niet. Ik sta er helemaal perplex van. Niet het type. Wat een domme opmerking! Hebben ze dan nog nooit gehoord van make-up en pruiken? Je kunt toch ook niet zeggen dat Zoë Saldana het type was om Neytiri te spelen in *Avatar*, maar met wat blauwe make-up is dat zo opgelost. De regisseur heeft blijkbaar een tunnelvisie, zo zal hij geen grote worden. Wacht maar tot ik in Hollywood zit, daar begrijpen ze mij beter en dan zullen die regisseur en Myriam nog spijt krijgen dat ze me niet hebben aangenomen.

Omdat ik ervan uitga dat het bij Max ook niets geworden is, luister ik eerst naar zijn bericht op mijn voicemail voor ik hem opbel en we samen ons ongenoegen kunnen uiten. Het bericht overtreft echter al mijn verwachtingen. Hij heeft de rol!

Compleet moedeloos ga ik op bed liggen. Het bericht van Max heeft het laatste restje hoop uit mijn lijf gezogen. Ik voel hoe de tranen zich in mijn ogen verzamelen en wachten op een signaal om naar beneden te glijden. Met een knip van mijn ogen vloeien de eerste eruit, maar het geluid van een binnenkomend chatbericht en mijn nieuwsgierigheid doet de rest stoppen.

Ik sta op en sleep me naar het scherm van mijn computer. Het is Max. Ik heb helemaal geen zin om nu met hem te chatten. Ik vertel het hem morgen wel. Voor vandaag wil ik geen slecht nieuws meer krijgen. De focus ligt op het enige positieve dat me nog rest en dat is Thomas! Alleen al de gedachte aan hem stuurt een korte stroom nieuwe energie door mijn lijf. Was het al maar overmorgen, zucht ik in mezelf. Ik besluit mijn emotionele, hectische dag af te sluiten met een ode aan Thomas.

Nog twee nachten,
ik zal op je wachten,
met mijn nieuwe schoenen,
dan kan ik je beter zoenen.

Liefs,
jouw pumpkin/babouchka

Vrijdag 2 april
STATUS: Waar zit de STOP-knop?

De morgenstond heeft goud in de mond. Het enige spreekwoord dat ik me nog herinner uit een taalles van het vierde leerjaar. Ik vond dat zo'n vreemde uitspraak dat ik de week erop elke ochtend voor zonsopgang uit mijn bed ben gekropen in de hoop goud te vinden. Daarna heb ik de juffrouw ervan beticht valse leerstof te doceren. Ze moest er eens om lachen. In ieder geval ben ik vandaag ver weg van goud, laat ons zeggen dat ik zelfs niet aan koper kom. De laatste twee dagen vecht ik tegen een kolk van negatieve energie. Gelukkig is er Thomas, die me boven water houdt.

Aan de voordeur trek ik snel mijn slippers aan om naar buiten te gaan. Vanavond moet mama afgekickt zijn van de slaappillen, anders denken ze op de ouderavond nog dat ik het kind van een junkie ben. Ik moet dus dringend de pillen vervangen door Tic Tacjes. Met mijn laatste twee euro in mijn broekzak slef ik naar de supermarkt op de hoek, waar ik één doosje

koop, omdat die kleine rotmuntjes al een euro zeven cent kosten! Punaise!
Ik hoop dat ze het verschil niet te hard zal merken. Aangezien ze al twee
dagen gedrogeerd in bed ligt, moet ik me daarover niet al te veel zorgen
maken. Wanneer ik weer binnenkom, zitten J&B aan het ontbijt.

'Kom jij nu pas thuis?' vraagt Jean-Jacques verontwaardigd en hij kijkt
op zijn horloge. Ik kijk naar mijn outfit: teenslippers, een zwarte short en
een oud wit T-shirt met Smurfin erop.

'Denk je dat ik zo op stap ga?' vraag ik hem ironisch.

Benny schiet in de lach.

Jean-Jacques beseft dat hij een domme opmerking gemaakt heeft en
wuift ze weg met de vraag of ik wil ontbijten.

'Straks, ik moet nog iets doen,' zeg ik vaag.

Benny knikt begrijpend naar mij.

'School is niet meer als vroeger,' hoor ik hem tegen Jean-Jacques zeggen, terwijl ik naar boven ga. 'Nu moeten ze veel meer kunnen.'

Benny moest eens weten wat ik nog moet doen. Ik sluip de kamer van
mijn moeder binnen. Aan het geronk te horen, slaapt ze heel diep. Ze
beweegt zelfs niet als het parket waarop ik stap een beetje kraakt. Zo stil
mogelijk neem ik het doosje slaappillen en ik vervang de pilletjes door Tic
Tacjes. Ik ga de kamer weer uit, gooi de pilletjes in een klein zakje, knoop
het dicht en smijt het in het vuilnisbakje van de badkamer. Missie geslaagd!
Nu hopen dat de rest van de dag even vlot verloopt. Misschien mijn vader
nog een bericht sturen om hem aan de ouderavond te herinneren.

VANAVOND OM 18U AAN SCHOOL!
HET IS OUDERAVOND. MAMA KOMT OOK!

Dat mama ook komt, hoewel zij het zelf nog niet weet, zal hem meer in-
teresseren dan mijn punten. Hij heeft me gisteren niet eens gevraagd hoe
mijn rapport was. Niet dat ik het deze keer erg vind.

De volgende uren lopen niet over rozen, maar ook niet over doornen.

Na een ontbijt met J&B heb ik me enkele uren beziggehouden met de zevende dag. Morgen komt Thomas aan en ik vrees dat alleen een bezoek aan Tiffany's geen volledige dag zal vullen. Hoewel ik er wel een hele dag zou kunnen rondhangen, zegt iets in mij dat Thomas dat niet kan.

Benny is zich er zelfs een moment mee komen moeien, maar zijn ideeen waren niet bepaald romantisch of praktisch te noemen. Hij stelde het volgende voor: samen gaan zwemmen. Ik weet niet of hij beseft dat mijn sportieve capaciteiten te wensen over laten. Ik zit heel graag in het water, maar dan wel aan een oceaan en niet in een zwembad vol chloor waar een badmuts verplicht is. Een ander voorstel was naar een museum gaan, want dat stond nog niet op mijn lijstje. Maar dat is ook geen optie, in een museum word je verondersteld om naar de werken te kijken en niet naar elkaar. Het meest belachelijke was zijn voorstel om naar het casino te gaan. Toen ik hem erop attent maakte dat ik nog geen achttien ben, stelde hij voor om mee te gaan. Natuurlijk dat ik me op mijn laatste dag met Thomas laat begeleiden naar een plaats waar ik helemaal niets kan doen. Ik heb Benny gezegd dat ik liever mijn geld investeer in een nieuw paar schoenen. Dat kon hij wel begrijpen.

Om eerlijk te zijn heb ik nog steeds geen idee wat ik moet doen. Ik heb even gedacht om ons te laten arresteren, zodat we verplicht zijn om nog een nachtje samen in de cel door te brengen, waardoor hij zijn vlucht mist en nog langer hier kan blijven. Misschien mag hij Rusland dan niet meer in en kunnen we eindelijk weer een normale relatie hebben. Maar dat plan lijkt me iets te vergezocht, vooral omdat ik geen idee heb wat we dan moeten doen. Daarbij is het weer ideaal voer voor de boekjes.

Op een bepaald moment is Spinner naast me in de zetel komen liggen, waardoor ik helemaal vertederd was, waarschijnlijk omdat ik het gevoel had dat er toch nog iemand om mij gaf. Dat bracht me op het idee om samen met Thomas naar het asiel te gaan om een hond of poes te adopteren, zodat we toch iets van ons tweeën hebben. Alleen vrees ik dat ik degene ben die erop zal moeten passen, want dat dier zal niet zomaar mee het vliegtuig op mogen. En dat kan ik Spinner dan weer niet aandoen, hij heeft nu soms al het gevoel dat hij verwaarloosd wordt. Als hij dan nog zijn eten moet delen met een jongere poes, denk ik dat er een kleine kattenoorlog uitbreekt en dat is het laatste wat ik wil, zeker nu J&B Paula op non-actief hebben gezet. Ik denk niet dat J noch B de urine van Spinner zullen opvegen als hij zijn terrein begint af te bakenen.

Puree zeg! Wat een moeilijke opdracht! Het was beter geweest als hij maar zes dagen was gekomen, dan waren alle dagen gevuld. Misschien moet ik het maar aan het toeval overlaten of Thomas laten beslissen. Er zal wel iets zijn dat hij nog graag wil doen. Met die gedachte prik ik mijn Thomaskalender weer aan de muur. Nog eerst even mijn mails bekijken voor ik mijn moeder opzoek in haar bed. Mocht ze nog een zogezegde slaappil genomen hebben toen ze even wakker werd vanochtend, dan moet het slaapmiddel zeker uitgewerkt zijn.

Mijn hart maakt een sprong als ik in mijn mailbox een mailtje vind van Thomas. Zeker als ik zie wat het onderwerp is. Eerst denk ik nog dat het Russisch is, maar een tweede keer lezen bevestigt waar ik al bang voor was: Kaniekome of kan niet komen!

Van: Thomas Swaelens <t.swaelens@hotmail.com>
Datum: 2 april 2010 08:32
Onderwerp: Kaniekome
Aan: Loulou Roosenbroeck <loulou.roos@hotmail.com>

Babouchka,

Ik heb slecht nieuws, we komen morgen niet naar Brussel. Het spijt me heel erg en ik vind het ongelooflijk jammer, maar het is allemaal de schuld van de secretaresse van mijn vader. Onverwachts kan hij niet weg, waarop hij zijn secretaresse de opdracht had gegeven zijn ticket te annuleren. Haar Engels is niet zo schitterend en ze heeft begrepen dat ze alle tickets moest annuleren, waardoor wij nu ook niet kunnen komen. Het zal dus nog even duren voor we elkaar terugzien, babouchka. Gelukkig is er Skype …

Tx

Ik knijp mezelf eens goed in de arm, klop op mijn wangen en wrijf al het opkomende vocht uit mijn ogen. Lees ik dit goed? Om er zeker van te zijn, lees ik het mailtje nog eens voordat ik het hele huis bij elkaar schreeuw van frustratie. Helaas heb ik het goed gelezen, de vakantie wordt lang en eenzaam. Ik zal de volgende dagen nog nooit zo hard naar school verlangd hebben. Ik ga me volledig op fysica storten, zodat ik het vak eindelijk helemaal kan doorgronden. Na de vakantie zal meneer Meyer versteld staan van mijn kennis.

Wat heb ik in mijn vorige leven misdaan dat ik nu zo gestraft moet worden en het enige vooruitzicht van mijn vakantie fysica studeren is? Of is het voodoo? Zou Sindy op deze manier wraak nemen voor alle keren dat ik verhinderd heb dat zij en Thomas met elkaar konden afspreken? Maar ik heb nog helemaal geen roddel gehoord dat Sindy zich zou bezighouden met duistere praktijken.

Hier sta ik nu, aan de vooravond van wat een schitterende vakantie zou worden, maar door een spraakverwarring aan de andere kant van de wereld zijn al mijn prachtige vooruitzichten naar de vaantjes geholpen. Wat moet ik nu doen? Ik weet even niet of ik direct in bed zou kruipen, naar buiten zou gaan of iets anders moet doen. Een paar minuten lang sta ik in het midden van mijn kamer, onbeholpen en hopeloos als een demente bejaarde die niet meer weet waar ze is.

Ik besluit dat ik beter bij mijn moeder in bed kan gaan liggen, want alle dozen zakdoeken staan immers daar. Waarom ik? Waarom moet ik net op de jongen verliefd worden die naar Moskou verhuist, die het slachtoffer is van de grillen van zijn ouders en het niet eens erg lijkt te vinden? Als ik het zes jaar geleden tijdens de eerste atletiekles samen met Violet niet had opgegeven omdat ik over mijn eigen voeten struikelde en met mijn hoofd tegen de eerste horde liep, was ik misschien verliefd geworden op Matteo en was ik nu samen met hem aan het trainen voor een halve marathon. Hoewel, dat is te vergezocht, want Matteo is niet mijn type met zijn pezige lijf van al dat sporten.

'Loutje.' Benny klopt zachtjes op de deur terwijl hij mijn naam zingt.

Verward kijk ik in het rond, nog steeds als een verdwaalde demente bejaarde.

'Ja,' antwoord ik op dezelfde manier.

'Moet jij niet naar school?'

Het woord 'school' doet me ontwaken uit mijn demente roes. In een seconde overloop ik in gedachten enkele vragen: Welke dag zijn we? Moet ik naar school? Wat ging ik doen? Is er iets belangrijks vandaag?

In de daaropvolgende seconde beantwoord ik mijn eigen vragen. Het resultaat is het besef dat ik niet dieper kan vallen. Ik open de deur op een kier en steek mijn hoofd erdoor.

'Darling, moest jij niet op school zijn vanavond?' Benny staat met een brede glimlach en zijn haren strak naar achteren gekamd in vers gestreken kleren voor me. Ik begrijp niet hoe hij het doet, elke dag ziet hij er goedgeluimd uit. Soms heb ik de indruk dat J&B nooit ruziemaken, geen financiële problemen hebben en elke dag een prachtige, zorgeloze tijd hebben.

Ik heb Benny daarstraks gezegd dat ik op school moet zijn voor een repetitie van het schooltoneel. Er is dit jaar geen schooltoneel, maar Benny gelooft alles wat ik zeg en vooral als het woord 'school' valt. Misschien zit hij nog met onverwerkte trauma's over zijn eigen schooltijd of een oude schoolliefde die hij niet uit zijn geheugen krijgt.

Ik kijk naar de klok op de computer. Over drie kwartier verwacht meneer Beyers mijn ouders en mij.

'Zeg je tegen mama dat ik al vertrokken ben?' Ik heb geen zin om op haar te wachten, ik wil zo snel mogelijk Violet en Hind zien.

'Zal ik doen, darling. Doe je schoenen aan of je komt te laat.' Benny wijst me nog op mijn blote voeten voor hij de deur achter zich dichttrekt.

'Schoenen? Welke schoenen?' Verdwaasd kijk ik om me heen op zoek naar schoenen. Hoewel mijn sneakers en slippers in mijn kamer rondslingeren, schrap ik ze als mogelijkheid. Ik had me voorgenomen om meer op pumps te lopen. Het is niet omdat alles om me heen aan het instorten is dat ik ook moet instorten. Mijn enige troost staat in mijn inloopkast: mijn Sergio Rossipumps. Wanneer ik de doos opendoe, lachen ze me toe, blij dat ze er eindelijk uit mogen en klaar om mijn voeten te begeleiden naar het slagveld. Ik haal ze uit de doos, snuif de geur van vers leer op, laat ze aan mijn twee vingers bengelen en loop naar beneden tot aan de deur, waar ik ze aan mijn voeten laat glijden.

'Ik ga!' roep ik door de lege hal, in de veronderstelling dat J&B het wel gehoord zullen hebben.

De eerste meters op mijn nieuwe pumps moet ik me ondersteunen tegen de muur, maar al snel heb ik door dat trager lopen de manier is om vooruit te komen. Probleemloos wandel ik naar de tramhalte en een gevoel van geluk overvalt me. Een kortstondig gevoel van geluk. Doordat ik op de tram moet wachten, kan ik alleen maar denken aan het mailtje van Thomas. In mijn hoofd herlees ik het eindeloos. Zo vaak zelfs dat ik even begin te twijfelen of het allemaal wel echt is. Misschien heb ik het wel fout gelezen.

In de gang voor het klaslokaal wacht ik ongeduldig op mijn ouders. De ouders van Iris zijn al binnengegaan in afwachting van die van mij. Al verschillende keren heb ik papa proberen te bellen, maar het is steeds zijn antwoordapparaat.

Benny zou mama zeggen dat ik al vertrokken was, dus ik verwacht haar elk moment.

De deur achter mij gaat open. De ouders van Iris schudden meneer Beyers de hand.

'Nog steeds niets?' vraagt meneer Beyers als de ouders van Iris de trap af gaan. 'Er is toch niets gebeurd?'

'Ik hoop van niet.'

'Ze zullen wel komen,' probeert meneer Beyers me gerust te stellen. Maar ik vrees ervoor, ze zijn al meer dan een halfuur te laat. Op de trappen klinken voetstappen. Hoopvol draaien meneer Beyers en ik ons om.

'Dag meneer De Schepper,' verwelkomt meneer Beyers met een uitgestoken hand de vader van Michiel, 'komt u binnen.' Hij houdt de deur open voor Michiels vader, waarna ze allebei binnengaan.

Met een zucht kijk ik voor de zoveelste keer naar het lege schermpje van mijn gsm. Door de grote ramen in de gang zie ik buiten niemand die ook maar een tikkeltje op mijn ouders lijkt. Van al dat staan beginnen mijn voeten te zwellen in mijn pumps. Afwisselend steun ik op de ene voet en dan weer op de andere.

Ik weet niet of het nog veel zin heeft om te blijven, ik heb al bijna alle ouders voorbij zien komen. Ik besluit dan maar om naar huis te gaan. Nu pas besef ik hoe Remy uit *Alleen op de wereld* zich gevoeld moet hebben.

Hind en haar ouders waren blijkbaar al heel vroeg hier, waardoor ik ze gemist heb. De moeder van Violet is hier geweest zonder Violet. Die was nog niet thuis van de training en haar moeder kon niet langer wachten, want ze werd ook verwacht op de school van Juliet, die dit jaar afstudeert als visagiste. En mijn ouders zijn zo hard met zichzelf bezig dat ze zelfs vergeten dat ze samen een dochter hebben. In ieder geval moet ik nooit vrezen dat ze alleen voor mij samenblijven. Als het weer goed komt, zullen ze waarschijnlijk schrikken dat ik er ook nog ben.

Met veel moeite loop ik de trap af. Ik voel hoe een blaar zich meester maakt van mijn linkerhiel. Als ik dit maar overleef tot aan de tramhalte.

Het lukt nog net, maar als ik op de tram zit, haal ik mijn dure en pijnlijke pumps met een verlossende zucht van mijn voeten. Wat doet dat deugd! Ik zet mijn beide voeten op de vuile maar koude ondergrond. Zalig! De tram is zo goed als leeg. Ik staar afwisselend naar buiten en naar het schermpje van mijn gsm. Niemand die iets laat weten. Als ik nu op een andere tram zou springen naar ik weet niet waar of een trein zou nemen naar een andere stad, misschien wel Parijs of nog verder in Frankrijk, hoe lang zou het duren voor iemand doorheeft dat ik er niet ben? Het is een idee en dat zal het blijven, want ik zie het niet zitten om te vertrekken zonder toiletspullen, andere kleren en mijn batterijoplader.

De Vijvers, mijn halte. Ik stap uit. In plaats van meteen naar huis te lopen, blijf ik nog even staan alsof ik nog iets anders wil doen. De tram vertrekt achter mij, ik draai me om en realiseer me dan dat ik nog op blote voeten sta.

'Punaise!' schreeuw ik uit naar de tram, die al in de verte is. 'Mijn pumps!' Ik ben ze vergeten in de tram. Hoe krijg ik die ooit terug? Radeloos ga ik op mijn knieën zitten en laat de tranen stromen. Nu is er helemaal niets meer. Alles en iedereen laat me in de steek. Wat heb ik in mijn vorige leven of in dit leven of in welk ander leven ook toch misdaan? Ik snotter onophoudelijk, het is sterker dan mezelf, en het kan me niet meer schelen. Ik heb het recht om nu als een klein kind te huilen, mijn neus op te trekken en snot aan mijn mouw af te vegen. Ik moet echt eens leren papieren zakdoeken in mijn tas te stoppen.

'Wat scheelt er? Hebben ze je bestolen?' Een jongeman in joggingoutfit staat over me heen gebogen en legt een hand op mijn schouder.

'Jaha,' snik ik. Ik voel me wel bestolen, maar ik weet ook dat het niet is wat de jogger bedoelt, dus antwoord ik meteen: 'Neehee.'

'Woon je hier in de buurt?' Hij helpt me opstaan, ik knik terwijl ik mijn snot opsnuif. 'Waar zijn je schoenen?' vraagt hij rondkijkend.

'Weg,' snotter ik. De jogger fronst zijn gezicht.

'Moeten we niet naar de politie gaan?'

Ik schud hevig mijn hoofd.

'Ik ga wel naar huis,' snik ik.

'Moet ik meegaan?'

Weer schud ik hevig mijn hoofd. Mijn ouders zeiden vroeger altijd dat

ik nooit met vreemde mensen mocht meegaan. Ze hebben het er zo inge-
pompt dat ik zelfs een behulpzame man niet vertrouw.

'Zal het gaan?' vraagt hij als hij me loslaat en de straat laat oversteken.

'Jaha, dank u.'

In mijn ooghoek zie ik hoe de jogger zijn route hervat. Snotterend probeer ik tussen mijn tranen door de stoep in de gaten te houden, zodat ik
toch nog twee hondendrollen en een paar glasscherven kan vermijden.

Ik steek de sleutel in het slot, maar nog voor ik de sleutel kan omdraaien,
zwaait de deur voor me open. J&B staan allebei doodongerust voor mij.

'Loutje, wat is er gebeurd?' Benny is compleet over zijn toeren door
mijn voorkomen. Hij neemt me net als de jogger bij de arm en helpt me
naar binnen.

'Heeft iemand je pijn gedaan?' vraagt Jean-Jacques bezorgd.

Pijn gedaan? Dat klinkt meer voor een zesjarige.

'Moeten we de politie bellen?'

'Kende je hem?'

'We hebben je overal gezocht.'

'O, prinses!' Benny drukt mij tegen zich aan en wrijft door mijn krullen.

Hun bezorgdheid is een nieuwe aanleiding om in een hysterische huilbui te schieten.

'Ik ben mijn schoenen vergeten!' snotter ik in stukken en brokken.

J&B kijken elkaar niet-begrijpend aan.

'Je schoenen?' herhaalt Jean-Jacques. 'Op school?'

Ik haal mijn schouders op, ik heb geen zin meer om het hen allemaal
te vertellen.

'Het is oké,' stel ik hen gerust als ik eindelijk mijn huilbui onder controle heb, 'het is niet zo erg.'

'Dat zei je leerkracht ook,' probeert Jean-Jacques me op te monteren.

'Mijn leerkracht?' Van het ene op het andere moment bevind ik me
in een andere gemoedstoestand, van hysterische wanhoop naar complete
ontnuchtering.

'Hij zweette nogal,' zegt Benny met een vies gezicht.

'Meneer Beyers?'

'Ik denk het,' zegt Jean-Jacques, 'we zijn op jouw school geweest.'

Vol ongeloof staar ik van JJ naar B en omgekeerd.

'Waarom?'

'Om een lang verhaal kort te maken,' begint Benny en hij benadrukt zijn woorden met kleine, vrouwelijke gebaren van zijn handen, 'jouw vader belde dat hij niet kon gaan, je moeder lag nog steeds knock-out in bed, dus dachten JJ en ik dat wij beter konden gaan.' Benny sluit zijn zin af met een grote glimlach, hij vond het dus blijkbaar heel leuk op die ouderavond.

O nee, wat moet meneer Beyers niet gedacht hebben? Nog meer roddels om in de leraarskamer te verspreiden. Och, misschien hebben ze zoveel medelijden met me dat ze me aan het eind van het jaar zullen delibereren.

'Misschien moet je maar een beetje rusten,' zegt Jean-Jacques.

Ik kan wel een warm bad gebruiken, denk ik. Mijn voeten voelen als ijsblokjes en zien helemaal zwart, als ik niet beter wist, zou ik denken dat ik gangreen heb.

Terwijl ik het bad laat vollopen en mijn voeten boven de wastafel was, klopt Benny op de deur. Ik ben nog aangekleed, dus laat ik hem binnen.

'Hier.' Hij stopt me het witte doosje dat op mama haar nachtkastje stond in mijn handen. 'Neem er straks maar eentje, dan slaap je goed.'

Ik neem het doosje aan.

'Oké, zal ik doen.' Benny trekt de badkamerdeur weer dicht, niet wetend dat hij me zonet een doosje Tic Tacjes heeft gegeven.

Ik draai de kraan dicht, kleed me uit en stap in het hete bad. Even moet ik op de rand blijven zitten tot mijn voeten zich aan de warmte hebben aangepast. Langzaam glijd ik verder het water in, tot ik er helemaal in zit. Elke vezel in mijn lijf komt los en lijkt wel binnenin mij te drijven. Mijn oogleden proberen zich nog even open te houden, maar ook zij bezwijken onder de warmte en vallen dicht.

Alleen mijn gedachten zijn nog niet mee op het ontspannende uitje, die bevinden zich op een rollercoaster die meermaals over de kop gaat. Een voor een passeren alle tegenvallers van de afgelopen dagen de revue.

Te beginnen met mijn ouders, die zich hebben laten misleiden – vooral mijn moeder dan – door een goedkoop roddelblad, met als gevolg een huwelijkscrisis, die ook mijn toekomst op het spel zet. Vervolgens is er de mislukte auditie, maar het ergste is dat Max het wel gehaald heeft. Dan zijn er Hind en Violet, die amper tijd voor mij hebben, wat in eerste instantie niet zo erg was, aangezien Thomas zou komen, maar ook hij laat me in steek. Ten slotte is er nog de sms-stalker Stuart, een gigantische onvoldoende voor fysica, mijn nieuwe peperdure schoenen die ik kwijt ben en J&B die naar de ouderavond zijn gegaan, met als gevolg dat de volgende twee weken vakantie niet de leukste uit mijn leven zullen zijn.

Zaterdag 3 april

STATUS: Kan Chanel de situatie redden?

KAN NIET, HEB TRAINING.
CHAT STRAKS? CU X

Volgens mij staat dit bericht standaard in de gsm van Violet, want het is al de vierde keer deze week dat ze me het stuurt als ik vraag om samen iets te doen. Het belooft weer een eenzame dag te worden, terwijl dit de dag had moeten zijn dat ik Thomas weer zou kussen. Helaas, dankzij een Russische secretaresse en weinig doorzettingsvermogen van Thomas zal dat kussen moeten wachten tot in de zomervakantie.

Mijn moeder ligt depressief, uitgeteld en met opgezwollen ogen in bed. Ze heeft zich al twee dagen niet meer gewassen en vertoont volgens mij al serieus wat doorligwonden. Het bericht van Violet was mijn enige hoop op gezelschap, maar trainen voor een halve marathon snijdt toch in je sociale leven. Hobby's in het algemeen zijn een aanslag op je sociale leven. Max speelt de hele week in een slecht geregisseerde kortfilm mee. Onbetaald! Als ik hem was, had ik geweigerd. Gelukkig dat ik uiteindelijk de rol niet had. En Hinds nieuwe liefde, die we nog steeds niet hebben gezien, slorpt al haar tijd op.

Volgens Violet moet ik er begrip voor opbrengen dat ze nu eventjes niet aan ons denkt. Ze is verliefd en wil alleen bij haar geliefde zijn. Zucht. Hopeloos blader ik door de naamlijst van mijn telefoon. Niemand. Of ze wonen te ver of ze zijn er niet of ze hebben hobby's die doorlopen in de vakantie. Mijn duim houdt onbewust halt bij de naam Stu-art, zo heb ik hem ook ingegeven. Ik denk er even over na. Waarom niet? We moeten ons gesprek van in de smoothiebar nog verder zetten. Bovendien lieten zijn berichtjes uitschijnen dat hij me wel weer wilde zien.

ZIN IN EEN SMOOTHIE?
KRUL LOULOU

Zodra er VERZONDEN op het schermpje verschijnt, begint mijn ongeduld te kriebelen. Ik moet een limiet zetten op de tijd die ik op een antwoord wil wachten. De tijd die ik nodig heb om de juiste outfit aan te trekken. Ik ben er zeker van dat hij me wil terugzien. Onderweg naar mijn kamer flitsen verschillende kledingcombinaties door mijn hoofd. Net voor ik mijn kamer binnen wil rennen, word ik gestoord door de realiteit in dit huis: het gesnotter van mijn moeder.

Voorzichtig duw ik de deur van haar kamer open. Een muffe geur waait me tegemoet. Ze heeft zelfs nog niet de moeite genomen om het raam open te zetten. In foetushouding en met haar gezicht naar het raam ligt mijn moeder te snotteren. Naast haar staan enkele dozen zakdoeken. Ik heb medelijden met haar, maar ze is ook koppig. Als ze nu gewoon eens naar mijn vader zou willen luisteren, want die beweert bij hoog en laag dat er niets is tussen hem en dat meisje.

Het signaal van mijn gsm brengt me weer tot leven. Stuart heeft gereageerd! Ik spurt de trappen af alsof er een rat achter me aan zit.

ZIN WEL, MAAR MOET NAAR DE TANDARTS.
MORGEN?

Maar hij heeft al zulke mooie tanden? is het eerste wat door mijn hoofd schiet. Ik ben teleurgesteld, maar tegelijk voel ik me ook opgelucht. Hij doet een tegenvoorstel. Ik sms onmiddellijk terug.

OKIDO!
SMOOTHIE OM 14U?

Zijn antwoord slaat me helemaal uit het lood.

OKÉ, BABY!

Baby? Misschien straks tijdens de chat toch even aan Max voorleggen. Maar wat nu? Ik zal het moeten doen met Spinner en mezelf. Of ik moet nieuwe vrienden maken, maar wie? En waar vind ik die? Misschien stuurt de kosmos me vandaag wel een heel leuke vriendin. Ik mag toch ook eens geluk hebben. Een vriendin die geen marathons loopt, maar zoals ik de lift neemt. Iemand die computers gebruikt voor onlineshopping en zich niet afvraagt welk besturingssysteem erachter zit. Iemand die niet wil acteren zoals ik, maar mij wel wil regisseren. Iemand die begrijpt dat een langeafstandsrelatie voor een vijftienjarige geen bewuste keuze is, maar een ware marteling. Of is dat allemaal te veel gevraagd? Ik zucht. Er wacht nog een hele dag voor me, de eerste zonnestralen komen erdoor en ik ben moederziel alleen.

Hoewel? Ik ga weer naar boven. Het is tijd dat mijn moeder stopt met zich in zelfmedelijden te nestelen. Ze heeft dringend nood aan een verzetje.

'Mama?' fluister ik wanneer ik haar kamer binnen wandel. Onder het laken komt alleen wat gekreun uit. Ik gooi de vensters open en meteen verschijnt er een halve zombie tussen de lakens. Mijn moeder ziet er niet uit. Haar haren zijn vettig. Ze plakken tegen haar gezicht en aan de kant waarop ze gelegen heeft, is het een warboel van knopen. Haar ogen lijken wel het slachtoffer te zijn geweest van een wespenkolonie en aan haar benen te zien is haar het snelste wat bij een mens groeit.

'Prinses?' kreunt ze.

'Kom, we gaan iets leuks doen vandaag,' moedig ik haar aan.

'Leuk?' En ze begint weer te snotteren. 'Wat is er nog leuk? Ik ben drieenveertig en single.' Er volgt een luid gejank.

Ik bedenk dat ik dit nooit wil meemaken. Ik kan maar beter zorgen dat ik snel de juiste man vind. Of heb ik die al gevonden? vraag ik me af. Is Thomas de ware voor mij? In ieder geval is hij niet het type dat de aandacht trekt, dus ik zal hem nooit op de cover van een boekje aantreffen met een jongere vrouw. Maar misschien mag mijn moeder wel van geluk spreken dat mijn vader wel op covers verschijnt, anders was ze er nooit achter gekomen. Ik kan me nog net inhouden om dat te zeggen, dat zou alleen maar voor meer onweer zorgen.

Ik ga naast haar op het bed zitten en wrijf over haar rug. Dit is echt de omgekeerde wereld. Normaal moet ik liefdesverdriet hebben en mijn moeder me troosten. Ik zal maar niet vertellen dat ik naast een lief ook een andere jongen heb leren kennen. Ze zou nog jaloers kunnen worden.

'We gaan shoppen,' stel ik voor. Dat is altijd leuk, of je nu single bent of in een ongelukkige relatie zit. Shoppen helpt iedereen erbovenop, zeker mijn moeder.

Ze trekt een pruillip, die begint te trillen.

'Met de kaart van papa,' voeg ik er geniepig lachend aan toe om haar over de streep te trekken en een nieuwe huilbui te voorkomen.

Ik zie haar enkele gedachten tegen elkaar afwegen. Waarschijnlijk iets als: als ik ga shoppen met zijn kaart, dan zeg ik dat ik afhankelijk van hem ben, maar anderzijds is het zijn verdiende loon dat ik die kaart plunder.

'Oké, als we naar Chanel gaan, doe ik het.' Ze klinkt nog steeds heel zielig, maar een sprankeling in haar ogen zegt me dat deze shoptherapie een oplossing voor mijn ouders kan zijn.

'Deal!' lach ik naar haar en ik geef haar in één beweging ook een kus, iets wat ik normaal probeer te vermijden omdat mijn moeder dan de neiging heeft om me weer als een zesjarige te behandelen.

'Maar waar vinden we die kaart?' vraagt ze bezorgd terwijl ze overeind komt en nog een laatste keer in een zakdoek snuit. 'Ik heb er geen.'

Ik knipoog naar haar, waarmee ik wil zeggen dat het in orde komt. Papa heeft me vorig jaar eens een kaart gegeven waar mijn moeder niets van weet. Ik mocht hem alleen in noodgevallen gebruiken. Wel, dit is een noodgeval! Mijn moeder voelt zich bedrogen, mijn vader wil haar terug en ik wil geen gescheiden ouders, want dat wordt te onpraktisch, zeker als Spinner ook telkens mee moet verhuizen. Dus we hebben er alle drie baat bij dat mijn moeder en ik gaan shoppen.

STATUS: Zijn, willen en doen alle jongens hetzelfde? Of ben ik beïnvloed door mijn moeder?

Drie uur later kunnen we eindelijk vertrekken. Omdat mijn moeder niet met opgezwollen ogen Chanel binnen wilde stappen, moesten er koude kompressen op haar ogen gelegd worden die rode vlekken veroorzaakten. Pas na het wegtrekken van die vlekken kon ze zich helemaal klaarmaken.

Het leuke aan shoppen met mijn moeder is dat ik niets hoef te betalen, zeker vandaag niet.

Leve papa! wil ik uitschreeuwen nadat ik met mijn derde tas uit een winkel kom. Ik kan me gelukkig nog net op tijd inhouden, anders zou het ook mijn laatste tas kunnen zijn.

'Het is tijd voor koffie.' Mijn moeder glundert, zwaait met haar winkeltassen en als je haar zo ziet lopen, zou je nooit denken dat ze enkele uren geleden nog in haar eigen tranen lag te weken.

We wandelen naar het dichtstbijzijnde terras. Hoe dichter we het terras naderen, hoe bekender een silhouet aan een van de tafeltjes me voorkomt. Ik moet mijn ogen tot spleetjes knijpen om het beeld scherper te maken. Misschien binnenkort ook eens een oogarts raadplegen.

'Weet jij wie daar zit?' vraag ik aan mijn moeder, hoewel de kans heel klein is dat ze weet wie het is. Zoveel jongens kent ze nu ook weer niet. Ik praat er ook niet veel over met mijn ouders, want over welke jongen ik het ook heb, ze vragen altijd of hij mijn lief is. Ook al weten ze het van Thomas! Dat begrijp ik eigenlijk wel, want als je die nooit ziet, vergeet je het wel eens dat je eigen dochter een lief heeft. Ik vergeet het ook wel eens.

De jongen die me bekend voorkomt, zit met zijn rug naar me toe gedraaid. Het meisje dat tegenover hem zit, ken ik niet. Als hij zich nu even zou omdraaien, wist ik het meteen. Hij kijkt even de andere kant op, waardoor ik zijn gezicht in profiel zie.

'Nee, ken ik niet,' schudt mijn moeder het hoofd.

'Stu-art!' roep ik uit. Veel tandpijn heeft hij precies niet meer. 'Kom, we gaan hier weg.' Ik trek mijn moeder de andere richting uit.

Mijn moeder mompelt iets als: 'Ze zijn allemaal hetzelfde.' Daarmee bestempelt ze alle jongens en mannen op deze wereld meteen als onbetrouwbaar.

Overdrijf ik nu? vraag ik me af. Misschien was het gewoon zijn zus. Bovendien duurt het ook geen uren om naar de tandarts te gaan. Maar dan had hij toch evengoed met mij kunnen afspreken op een ander uur, voor of na zijn bezoek aan de tandarts?

Ik wandel zo snel mogelijk van Stuart vandaan, terwijl mijn moeder achter mij aan trippelt.

'Waar gaan we ineens naartoe?' hijgt ze en ze probeert me bij te benen.

Ik weet zelf niet waar we naartoe gaan. 'Een ander terras,' antwoord ik.

'Waar?' Mijn moeder heeft steeds meer moeite me te volgen.

'Weet ik veel.'

'Lou, wacht!' roept mijn moeder, die ondertussen gestopt is om op adem te komen.

Het is inderdaad belachelijk wat ik doe. Waarom loop ik weg? Ik kon toch evengoed naast hem gaan zitten en vragen wat hij daar deed, tenslotte kon hij niet afspreken. Och, wat maakt het uit. Het heeft geen zin om me druk te maken over een jongen met wie ik helemaal niets heb, voor wie ik ook niets voel en van wie ik kan vermoeden dat hij me op een dag toch zal verlaten omdat hij nu eenmaal meer voor jongens dan voor meisjes voelt. Maar wat zeg ik nu allemaal? Er is toch nog Thomas! Of niet? Ik word gek van mezelf en al die vragen.

'Nu heb ik echt dorst,' hijgt mijn moeder.

'Ik heb een idee,' zeg ik. Ik loop naar haar toe en haak mijn arm in die van haar. 'We gaan bij Chanel een koffie drinken.' Ooit ben ik eens met Queen Oma naar de winkel van Chanel geweest. Als je kleren past, bieden ze je ook iets te drinken aan. Ik heb er toen een glas cola gedronken, dat herinner ik me nog als de dag van gisteren.

Mijn moeder kijkt verbaasd.

'Oké!' Ineens kan ze weer doorstappen.

Zondag 4 april

STATUS: Mijn grootmoeder steelt en mijn vader gaat vreemd. Is dit erfelijk?

Wat een vreemd gevoel om te moeten wachten op papa, die me komt ophalen aan zijn eigen huis. Als dit de toekomst is, wil ik toch gauw mijn eigen stekje hebben. Ik heb geen zin om elke zondag klaar te staan met mijn koffer in de ene hand en Spinner in de andere hand om enkele straten verderop te gaan logeren of wonen of hoe noem je dat? Ik kan me perfect voorstellen dat ik elke keer iets vergeet en de kans is groot dat het om schoolboeken gaat. Dat zal leiden tot een trend van dalende school-resultaten, waarop mijn moeder beslist dat ik meer moet studeren en dus minder naar de academie mag gaan. Door die beslissing krijgt mijn acteer-carrière een flinke deuk, zijn mijn kansen op een leven als Hollywooddiva verkeken en moet ik op zoek gaan naar een nieuwe carrière. Aangezien ik niet weet wat dat zou kunnen zijn, verzeil ik in dertien stielen en twaalf ongelukken om ten slotte op mijn vijftigste pas te weten wat die tweede carrière is. Ondertussen zit ik aan de drank, rook ik als een schoorsteen en heeft de dokter me nog maar enkele maanden gegeven, wat dan weer te weinig is om die tweede carrière uit te bouwen.

Ik moet dringend een nieuwe poging ondernemen om met mama te praten, ze moet en zal papa weer in huis nemen zolang ik nog thuis woon en studeer. Daarna doet ze wat ze wil, maar ik wil niet het slachtoffer zijn van hun onvermogen tot communicatie. Spinner overleeft de wekelijkse wissel trouwens nooit. Hij loopt nu al verdwaasd rond als je hem zonder zijn toestemming optilt en ergens anders neerzet.

TUUT! Daar is papa.

'Mama, ik ga,' roep ik naar boven, waar ze zich schuilhoudt om papa niet te hoeven zien, mocht hij binnenkomen. Na onze shopdag gisteren zag ze er zo vrolijk uit dat ik geen zin had om haar avond te bederven door over papa te beginnen.

'Oké,' antwoordt ze.

Ik trek mijn jas aan en wil net de deur openen als ze me nog naroept.

'Loutje!' Mama staat boven aan de trap in haar trainingsbroek, versleten T-shirt en met een verwilderde haardos. 'Als hij iets vraagt, het gaat goed met mij.' Haar uitdrukking zegt het tegenovergestelde, het positieve effect van de shoptherapie was blijkbaar van korte duur.

'Oké,' stel ik haar gerust en ik ga naar buiten, waar ik in onze auto stap.

'Dag papa,' zeg ik en ik geef hem een kus. Hij ziet er niet veel beter uit dan mijn moeder, alleen is het geen training, maar een zwarte kostuum-broek met een plek en een donkerblauw hemd dat al even geen strijkijzer meer heeft gezien. Wat doen die twee elkaar toch aan! En wat doen ze vooral mij aan!

'Dag prinses, hoe is het met haar?' Papa klinkt bezorgd. Dat ik ook niet uitgeslapen ben omdat ik me tot 's ochtends suf pieker omdat alles om me heen lijkt in te storten, ziet hij blijkbaar niet. Mijn vader probeert een glimp op te vangen van hun slaapkamerraam, in de hoop dat mama erachter staat te gluren. De kans is groot dat ze dat doet, want ze denkt dat hij niet met haar inzit en alleen plezier heeft met zijn nieuwe vriendin.

'Het gaat slecht,' zeg ik, ook al had mijn moeder iets anders gevraagd. Met het oog op mijn toekomst is het beter dat ik de waarheid vertel.

Behalve een zucht reageert hij er niet op. De hele rit naar Queen Oma wisselen we geen woord, tot we bij haar huis stoppen.

'Queen Oma weet hier niets van,' zegt papa. 'Ik heb verteld dat mama vandaag een fotoshoot heeft en niet mee kon komen.'

'Oké,' antwoord ik braaf. Ik word verondersteld al mijn problemen met mijn ouders te bespreken, maar op een bepaalde leeftijd is dat blijkbaar niet meer nodig, dan wordt er verondersteld zoveel mogelijk voor je ouders te verzwijgen. Sinds mijn ouders op een dag beslist hebben om Queen Oma de stempel OUD op te plakken, behandelen ze haar als een kind dat haar oren dicht moet houden als grote mensen spreken. Ze mag zelfs niet meer beslissen als ze nog meer botox wil.

'Is dat nog nodig?' vroeg mijn vader haar ernstig. 'Op jouw leeftijd heeft dat toch geen zin meer.' De logica van zijn uitspraak ging helemaal aan mij voorbij. Was botox niet juist bedoeld voor die leeftijd?

Queen Oma was slim genoeg om zich van de domme te houden tegenover mijn ouders, maar naar mij had ze een vette knipoog gegooid. Een teken dat ze het toch ging doen. Ik heb haar een knipoog teruggegooid, terwijl ik bedacht dat volwassen zijn veel acteertalent vraagt. Steeds doen alsof en alles nodeloos complex maken. Ook vandaag is dat weer het geval.

Mijn vader drukt op de bel en houdt zijn mond dicht bij de deurtelefoon. Queen Oma verstaat niet altijd goed wat er gezegd wordt. Het komt eropaan om duidelijk en vooral luid te praten. Anders doet ze niet open, omdat ze denkt dat er overvallers aan de deur staan.

'Ja?' klinkt het krakend door de deurtelefoon.

'Het zijn wij, ma,' articuleert mijn vader luid in de deurtelefoon. Het is even stil aan de andere kant, alsof ze moet nadenken wie 'wij' zijn. Aangezien mijn vader 'ma' zei, heeft ze niet veel keuze, ze heeft maar één zoon. En dan gaat de zoem van de deur die openspringt.

Als Queen Oma de deur van haar appartement opendoet, kijkt ze verbaasd achter ons.

'En de rest?' vraagt ze.

'Hoe bedoel?' vraagt mijn vader.

'Je bent toch getrouwd,' antwoordt Queen Oma gevat. 'Of ben ik dement aan het worden?'

'Ha, zo bedoel je,' reageert mijn vader overdreven en hij draait met zijn ogen in mijn richting, alsof Queen Oma inderdaad dement is. Misschien is puber zijn toch de beste tijd in een mensenleven, bedenk ik me na de belachelijke vertoning van mijn vader.

'Ze heeft een fotoshoot in Parijs, dat heb ik je toch verteld.' Mijn vader probeert opgewekt te klinken, maar het komt nogal nep over. Queen Oma fronst haar wenkbrauwen.

'Daar heeft ze niets van gezegd.' Ze haalt haar schouders op en wandelt naar de tafel. Nu pas zie ik dat ze gedekt heeft voor zeven personen.

'Wat moet ik nu doen?' vraagt ze zich af terwijl ze de gedekte tafel aanschouwt.

'Wie verwacht je nog?' vraagt mijn vader.

'Tilly en haar vreemde gevolg,' zucht Queen Oma. Het is niet zo vreemd dat Queen Oma ook tante Tilly, haar geestverruimende vriend Fab en haar dochter Cornelia uitnodigt, ook al zijn ze niet rechtstreeks familie. Het gaat al jaren zo.

'Ik heb haar net nog gebeld,' begint Queen Oma te vertellen, 'om te vragen om hoe laat ze kwamen, maar toen vroeg ze of jij kwam.' Queen

Oma wijst naar papa. 'Natuurlijk, zei ik,' gaat Queen Oma verder, 'hij is mijn nageslacht, grapte ik. Ze antwoordde toen heel serieus dat zij dan niet kwamen en toen heeft ze de telefoon ingehaakt.' Queen Oma vertelt het met de nodige verbazing. Het is te begrijpen dat ze niet kan volgen, ze leest geen roddelboekjes. Dat is beneden haar stand, zegt ze altijd. In plaats daarvan leest ze de romans van Catherine Cookson in grote lettertypes, speciaal gemaakt voor slechtzienden.

Mijn vader kijkt me ongerust aan. Het is duidelijk dat ik de situatie moet redden, want hij weet niets te verzinnen. Mijn improvisatietalent heb ik duidelijk niet van hem geërfd.

'Och, het zal wel iets met hun karma te maken hebben,' veeg ik de situatie weg. Het voordeel van de spirituele levenswijze van tante Tilly en Fab is dat je het ook altijd als excuus kunt gebruiken, want niemand begrijpt het.

'Ach, ik ben blij dat ze er niet zijn. Ik had toch geen vegetarische schotel voorzien,' zegt Queen Oma terwijl ze de overbodige borden weer afruimt. Noch papa noch ik reageren hierop. Om de vervelende stilte die erop volgt te doorbreken verander ik van onderwerp.

'Waar komt dat vandaan?' vraag ik, wijzend naar een opgezette eekhoorn die op de kast staat.

'Ha!' reageert Queen Oma ineens enthousiast. 'Dat is voor jou.'

Ik frons mijn wenkbrauwen. 'Voor mij? Waarom?'

'Het is toch Pasen,' zegt ze, alsof een eekhoorn en Pasen al eeuwen samengaan. Ik kijk niet-begrijpend naar mijn vader, maar zijn aandacht gaat helemaal naar een natuurdocumentaire op televisie.

'Het komt van bij Irena,' zegt Queen Oma en ze snijdt ondertussen het stokbrood in kleine stukjes. Irena is een van haar vriendinnen op de bingo.

'Moest ze het niet meer hebben?' vraag ik terwijl ik de eekhoorn in mijn handen neem en observeer.

'Zoiets,' mompelt ze.

'Bedank haar maar van mij.' Niet dat een opgezette eekhoorn al jaren op mijn verlanglijstje prijkt, maar Irena bedoelt het waarschijnlijk goed. Het heeft bovendien een hoog kitschgehalte, misschien wel leuk om mijn juwelen aan op te hangen.

Queen Oma begeeft zich naar de keuken om de soep uit te scheppen. Mijn vader zet de televisie weer uit en ziet me dan met de eekhoorn in mijn handen.

'Wat is dat?' vraagt hij.

'Van Queen Oma gekregen,' lach ik, 'omdat het Pasen is.'

Mijn vader pakt het dode beestje vast, lacht eens en als hij het op de kast wil zetten, merkt hij aan de onderkant van het houten palet waarop de eekhoorn is vastgebeiteld een opschrift op. '*Voor Irena, knibbel forever,*' leest hij voor.

'Ik heb het eigenlijk van Irena gekregen,' wil ik de verwondering van mijn vader voor zijn, maar hij kijkt alleen nog meer verwonderd.

'Van Irena?' vraagt hij.

Ik knik. Wat is er mis met Irena?

'Irena van de bingo?' Hij kan blijkbaar niet geloven dat Irena zo lief is om aan mij te denken. 'Ben je daar zeker van?' vraagt mijn vader.

'Dat zegt Queen Oma toch.' Ik twijfel nu of ik Queen Oma wel goed verstaan heb. Ze is tenslotte al oud en heeft last van gehoorproblemen.

Mijn vader begint te grinniken, het is lang geleden dat ik hem zo nog heb gezien. 'Irena is vorige maand overleden,' zegt mijn vader. 'Queen Oma heeft haar gevonden.'

Mijn mond valt open van verbazing. 'Irena is dood?' fluister ik. Ik kijk verstomd naar de eekhoorn. 'Misschien heeft Irena dit voor haar dood aan Queen Oma gegeven?'

Mijn vader kijkt me aan alsof ik helemaal achterlijk ben geworden.

Dan dringt het tot mij door. 'Heeft ze dit gestolen?' fluister ik compleet van mijn melk.

Mijn vader trekt een lip van ik-vrees-van-wel.

'De soep ik klaar!' roept Queen Oma vanuit de keuken.

Verbouwereerd zet ik de eekhoorn weer op de kast en ik loop naar de keuken om haar te helpen, want mijn vader neemt geen enkel initiatief op dat gebied. Dat Queen Oma zelf kookt, is eerder zeldzaam, dus het kan geen kwaad om haar even een handje te helpen. Het zou niet de eerste keer zijn dat ze de soep uit haar handen laat vallen. Ik herinner me nog dat ze eens uiensoep had gemaakt en terwijl zij in de keuken bezig was, waren mijn ouders en tante Tilly plezier aan het maken. Dat kon Queen Oma niet verdragen en toen heeft ze expres de soepkom laten vallen uit frustratie dat niemand haar kwam helpen.

Sindsdien loopt er wel altijd iemand naar de keuken zodra ze roept. Vandaag heb ik weinig keus.

Ze schenkt drie borden aspergesoep uit, die ik vervolgens een voor een naar de tafel breng. Als ik Queen Oma bezig zie, kan ik moeilijk begrijpen dat ze steelt van haar vriendin. Ze beschouwt zich als een vrouw van standing. Misschien oordelen we te snel, we kennen het verhaal niet. Wie weet heeft Irena ooit gezegd dat Queen Oma de eekhoorn na haar dood mocht meenemen.

'Heb je de eekhoorn allang?' vraag ik terwijl we van de soep eten.

Mijn vader stoot me onder tafel met zijn been aan. Hij wil er niets over horen. Queen Oma doet ook alsof ze niets hoort, hoewel ik er zeker van ben dat ze me verstaan heeft. Het is zo stil aan tafel dat ik de kleine klok in de keuken hoor tikken.

Na een paar lepels soep van mijn kant en een hoop geslurp van Queen Oma haar kant, doorbreekt ze de stilte. 'Voor wie doet ze een shoot?'

'Wie? Welke shoot?' komt mijn vader uit de lucht vallen.

Nu is het mijn beurt om hem onder tafel een schop te geven. Mama, wijs ik hem onhoorbaar voor Queen Oma op de vingers.

'O! Eh, geen idee eigenlijk.'

'Wanneer komt ze terug?' vraagt Queen Oma.

Mijn vader kijkt even naar mij met een hulpeloze blik, maar deze keer doe ik alsof ik hem niet gezien heb. Als ik niet mag doorvragen over de eekhoorn, dan moet hij het nu maar zelf oplossen. Dus kijk ik met een evenveel afwachtende blik naar hem als Queen Oma.

'Eh, ik denk morgen,' zegt hij.

'Ha, dan kan ze naar de winkel voor mij.' Queen Oma staat op en loopt naar de kast, waaruit ze een doosje van een crème haalt.

'Maar daar zal ze geen tijd voor hebben, hoor,' antwoordt mijn vader meteen.

Queen Oma kijkt verrast op. 'Hoezo, geen tijd?' zegt ze. 'Ze brengt dat altijd voor mij uit Parijs mee.'

'Ja, maar ze vertrekt al met de eerste trein morgenvroeg, denk ik,' antwoordt mijn vader gevat.

'Dan kan ze dat nog meebrengen.'

'Maar de winkels zijn dan nog niet open.'

'In Paris Nord wel,' houdt Queen Oma vastberaden vol.

Mijn vader zucht. Zijn gezicht is verkrampt, hij heeft het moeilijk.

'Bel haar!' beveelt Queen Oma mijn vader.

Hij schrikt ervan en zijn ogen schieten vol paniek. Ik krijg medelijden met hem.

'Ik zal wel bellen,' red ik hem. 'Ik weet over welke crème het gaat,' stel ik Queen Oma gerust. Ik neem mijn gsm en loop naar de keuken, terwijl ik een nieuw bericht op mijn gsm ontdek. Het is Stuart. Ik zucht. In hem heb ik helemaal geen zin. Nog voor ik het bericht gelezen heb, verwijder ik het. Daarna doe ik alsof ik naar mijn moeder bel.

'Antwoordapparaat,' roep ik vanuit de keuken. Zo gemakkelijk is het, denk ik. Mijn vader knipoogt naar me en ik antwoord met een glimlach. Misschien is het straks het moment om opslag van mijn zakgeld te vragen, of is dat chantage? Misschien wacht ik beter tot morgen.

Het wordt weer stil aan tafel. Ik ruim de borden af, terwijl Queen Oma zich naar de keuken begeeft voor het volgende gerecht. Mijn vader staart voor zich uit met een trieste blik. Het lijkt wel een koffietafel na een begrafenis, hoewel ik nog nooit naar een ben geweest. Maar zo moet het eruitzien: doodse stilte, een irriterend tikkende klok en een trieste blik.

Ik vraag me af wat Hind en Violet nu aan het doen zijn. In ieder geval zullen ze zich beter amuseren dan ik, ook al studeert Hind nu voor haar computercursus en loopt Violet met kramp. Slechter dan hier kan het niet zijn. Zou ik ze sms'en? Maar wat moet ik dan schrijven? We hebben elkaar al drie dagen niet meer gehoord.

En ik mis Thomas ook wel. Het is echt stom dat hij geen moeite heeft gedaan om een nieuw vliegtuigticket te boeken. Normaal had hij hier naast me moeten zitten. Ik kan me voorstellen dat we samen de slappe lach zouden hebben om mijn oma. Thomas vindt haar echt een komische verschijning. Ik kan het niet ontkennen dat Queen Oma een opvallend figuur is. Ze overdrijft nogal met het aanbrengen van blush en het epileren van haar wenkbrauwen, die ze daarna natekent met een zwart potlood. Ik begrijp trouwens niet waarom ze dat doet. Misschien is het een modetrend onder oudere vrouwen, want ik zie het wel meer op straat bij dames van die leeftijd, al is het tegenwoordig met al die botox moeilijk te zien hoe oud ze precies zijn. Vergrijzen je wenkbrauwen misschien ook en is het daarom dat ze het doen? Ik zal het pas te weten komen als ik zelf oud word, want Queen Oma zal het me nooit vertellen. Elke confrontatie met haar ouderdom kan leiden tot het loskomen van haar facelift of een hartstilstand.

'Al nieuws van je moeder?' schudt ze me wakker uit mijn gepieker.

'Nee, niets.'

'Toch vreemd dat ze niets gezegd heeft over Parijs,' tobt ze. 'Ze doet dat altijd als ze gaat.' Dat wist mijn vader blijkbaar niet toen hij een excuus zocht voor de afwezigheid van mijn moeder. Ik had er ook niet aan gedacht dat mijn moeder alleen naar Queen Oma belt om te komen eten of als ze naar Parijs gaat. Voor alle andere zaken die Queen Oma moet weten, belt mijn vader met haar.

Waarom blijft ze nu zo doorzeuren over mama? Het is echt niet het moment om het steeds over haar te hebben, als ik de spanning op mijn vaders gezicht zie. Het laatste wat ik wil, is dat hij hier in huilen uitbarst en alles opbiecht aan zijn moeder. Ik ben vijftien en word verondersteld in een gelukkige gezinssituatie te zitten.

'Ik bel haar straks zelf eens,' besluit Queen Oma.

Mijn vader springt op en hapt naar adem. Nu merk ik pas dat ik mijn dramaqueengedragingen ook van hem heb.

Zodra Queen Oma in de keuken is, grijp ik haar gsm van de kast. Ik scrol door de telefoonnummers tot ik bij dat van mijn moeder kom. Zo snel ik kan, verander ik het laatste cijfer. Tot de storm ten huize Roosenbroeck is gaan liggen, zal Queen Oma een totaal onbekende stalken. Daarna verander ik het nummer wel weer. Mocht ik niet zoveel detectiveseries zien op televisie, ik zou er niet meteen opkomen, denk ik.

Met al haar kracht zet Queen Oma even later een grote, stomende kookpot op tafel. 'Stoofvlees à la flamande,' zegt ze en ze licht het deksel als een goochelaar op. Het ruikt lekker, maar het is niet mijn favoriete maaltijd. Die van mijn vader precies ook niet, want veel eet hij niet.

Het wordt opnieuw een lange, zwijgzame maaltijd. Alleen laat Queen Oma af en toe nog blijken dat ze het niet waardeert dat mama niet gebeld heeft. Haar crème is zo goed als op. Als ik haar er op attent maak dat ze die toch ook in Brussel kan kopen, krijg ik snel te horen dat mijn moeder steeds een flinke korting krijgt in Parijs.

Het dessert en de koffie slaan we over met het excuus dat mijn vader nog een interview heeft. Het is genoeg geweest voor ons allebei. Voor mijn vader omdat Queen Oma steeds over mama begint. Ik moet toegeven dat ik geen idee had dat ze elkaar zo graag hadden. En ik wil hier vooral weg omdat elke minuut een uur lijkt te duren en de sfeer meer aan een dodenherdenking dan aan een herrijzenis doet denken.

Queen Oma doet niet moeilijk, dat doet ze nooit als het excuus te maken heeft met het werk van mijn vader. Ze is ontzettend trots op haar bekende zoon. Ze zegt het graag ongevraagd tegen iedereen. Gelukkig heeft ze nu niet veel sociaal contact meer, want ik vrees dat ze nogal zou schrikken als ze erover begint. Misschien moet ik haar toch subtiel inlichten voor ze iemand de huid volscheldt. Zou ik haar GOSSIP anoniem opsturen? Of beter niet, stel dat ze een hartaanval krijgt of dat ze net een botoxbehandeling ondergaan heeft en hard schrikt, dan blijft haar gezicht zo staan.

Met gemengde gevoelens neem ik de opgezette eekhoorn van Irena mee. Queen Oma pakt mijn gezicht tussen haar beide handen en drukt een natte kus op mijn wang. Een vreselijk gebaar. Het is bijna een geruststelling dat ze het ook met mijn vader doet.

In de auto slaak ik een verlossende zucht. 'Gelukkig is het maar één keer per jaar Pasen.'

Mijn vader reageert niet, volgens mij heeft hij me niet gehoord. De hele rit staar ik uit het raam met de eekhoorn op mijn schoot. Als ik straks thuiskom, zal mama me tot op het bot uitvragen. Ik heb geen zin om de speelbal van mijn ouders te worden. Misschien moet ik ook overwegen om tijdelijk ergens anders te gaan wonen. Maar waar? Op Violet en Hind moet ik even niet rekenen, bij Max heb ik geen zin, want dan praat hij toch alleen over zijn film, bij tante Tilly word ik na een uur al ziek van de wierook en bovendien eten ze uitsluitend vegetarisch. En na vandaag is Queen Oma helemaal uitgesloten. Dan blijven alleen nog J&B over, maar die logeren al bij ons. Of ik moet een ticket naar Moskou boeken en bij Thomas gaan logeren? Het idee alleen naar Moskou te gaan, geeft me al kriebels in mijn buik van opwinding.

Wat een opluchting dat ik nog eens positieve opwinding ervaar, ik was al bang dat zulke gevoelens verzinsels in mijn hoofd waren. Iets wat ik mezelf wijsmaakte om alles wat draagbaarder te maken, maar gelukkig bestaan ze echt.

Mijn geluk is echter van korte duur. Een sniffend geluid naast me brengt me weer naar de realiteit, en wat voor een realiteit. Mijn vader huilt! Wat krijgen we nu? Maar vooral, wat moet ik doen? Wat zeg je tegen een man die huilt, vooral als die man je vader is en je hem nog nooit hebt zien huilen? Ja, één keer, maar dat was voor de show om de mensen thuis te laten zien dat hij echt inzit met verwaarloosde dieren. Spinner moest het weten, hij zou meteen zijn ervaringen uit de doeken doen voor de hele pers. Moet ik nu doen alsof ik het niet gezien heb? Dat zou kunnen, maar ik kan onmogelijk doen alsof ik het niet gehoord heb. Het sniffen wordt erger.

'Loutje,' huilt hij, 'wat moet ik doen?' Ik ben blij dat hij zelf begint, maar ik blijf het toch vreemd vinden om mijn eigen vader te troosten. Verwacht hij dat ik nu met een oplossing kom aandraven?

'Jij bent een vrouw,' snikt hij verder, 'jij weet wat mama nodig heeft, toch?' Hij kijkt me reddeloos aan. Nu ben ik een vrouw en morgen weer een meisje van vijftien dat moet bedelen om haar zakgeld. Zo gaat dat, ouders gebruiken hun kinderen zoals het hen uitkomt.

Ik zucht. 'Eh, liefde?' aarzel ik. Wat moet ik anders zeggen? Ik kan toch moeilijk zeggen dat mama dringend een wellness- en kappersbeurt nodig heeft? Of dat ze een nieuwe handtas nodig heeft, want ze heeft er geen die past bij haar jurkje van Sonia Rykiel?

'Maar dat geef ik toch?' zegt hij vol overtuiging.

Het wordt serieus. Stevig hou ik de eekhoorn van Irena vast, in de hoop dat haar geest naar mij komt en me uit deze vervelende situatie redt. Waarom denkt hij trouwens dat ik het allemaal zo goed weet? Alles om mij heen brokkelt af, terwijl ik in de bloei van mijn leven zou moeten zitten. Een tegenstrijdigheid die ik nog altijd een plaats probeer te geven. Alsof mijn wereld nog niet genoeg op zijn kop staat, wil mijn eigen vader relatieadvies van mij! Hij wrijft met zijn hand over zijn gezicht zijn tranen weg, waarna hij zijn neus nog eens goed optrekt.

Toegegeven, ik krijg medelijden met hem. Hij ziet er compleet verloren uit. Aan de dikte van zijn wallen te zien, zijn de hotelbedden ook niet comfortabel.

'Ik zal nog eens met haar praten,' stel ik hem gerust, hoewel ik zelf nog niet weet hoe ik dat ga aanpakken.

'Dank je wel, prinses.' Er verschijnt een kleine glimlach op zijn mond.

'Daar zijn dochters voor,' grap ik om de sfeer niet verder te laten glijden in pathetiek. Ik ben blij dat we bijna thuis zijn, of ik dan toch. Voorlopig is het Hilton het thuis van mijn vader. Eigenlijk begrijp ik niet goed dat hij daar weg wil. Ik kan hem natuurlijk ook voorstellen om te ruilen. Hij kan in mijn kamer logeren en dan verblijf ik tot de verzoening op hotel. Eerst eens polsen bij mama of ze dat aankan, al zal ik dan stevige argumenten nodig hebben.

Ik ben opgelucht als we eindelijk voor de deur stilstaan.

'Dag papa.' Ik geef hem een vluchtige kus.

'Prinses?'

'Ja?' vraag ik als ik al met één voet uit de wagen ben. Ik hoop echt niet dat hij nog eens emotioneel gaat doen.

'Mag ik je nog iets vragen?' vraagt hij op zo'n plakkerige toon dat mijn haren rechtop komen te staan. Zo'n toon die in slechte, voorspelbare romantische tv-films wordt gebruikt. 'Wil je morgenavond met mij naar een filmpremière?'

'Ja!' zeg ik vol enthousiasme en tegelijkertijd schiet ik in de lach. Het doet me denken aan een huwelijksaanzoek in een van die slechte romantische films.

'Waarom lach je?' Er verschijnt een glimlach op mijn vaders gezicht. Zo'n glimlach waaruit blijkt dat hij helemaal niet snapt waarom ik moet lachen en het doodgraag zou willen weten.

'Gewoon, ik moest aan iets grappigs denken.'

Hij kijkt me nog steeds aan met een glimlach, in de hoop dat ik het zal vertellen, maar dat doe ik niet. Het idee dat je vader je een aanzoek doet, is toch helemaal geschift. Hij zou nog kunnen denken dat ik psychische stoornissen krijg van de hele situatie.

'Oké,' zegt hij dan, 'tot morgen.'

Eindelijk eens positief nieuws. Maar meteen moet ik aan mama denken.

'En mama?' vraag ik angstig, want ik zou dolgraag mee willen gaan, maar aan de andere kant wil ik iedere mogelijkheid gebruiken om mijn ouders te verzoenen, aangezien mijn toekomst op het spel staat.

'We kunnen met z'n drieën gaan.'

Ik lach. 'Ik vraag het haar,' zeg ik en ik geef mijn vader nog een afscheidszoen. Net op dat moment biept mijn gsm. Een bericht van Stuart.

Ik stap de auto uit en lees het, terwijl mijn vader wegrijdt.

HEY FUNNY GIRL! WAAR WAS JE?
STU-ART

Ik zucht eens diep. Na hoeveel berichten mag je zeggen dat iemand je stalkt? Heeft hij het nu nog niet begrepen dat ik geen zin heb om met hem af te spreken. Ik reageer er niet op en verwijder het bericht.

Zodra ik binnenkom, wrijft Spinner met zijn kopje tegen mijn been. Een teken dat er iets niet klopt in zijn luilekkerleven.

'Spinner, wat scheelt er?' Als ik de keuken in kom, begrijp ik zijn vleierij. Zijn waterbakje ligt omver naast het lege eetbakje.

'Arme Spinner.' Ik buk me met de opgezette eekhoorn in de hand en aai over zijn kopje. Spinner heeft plots meer interesse in de eekhoorn dan in mijn bezorgdheid. Om hem een plezier te doen zet ik de eekhoorn naast hem neer, terwijl ik zijn bakjes vul. Het duurt welgeteld tien seconden en de eekhoorn valt opzij om als speelbal te dienen.

Arme Irena, denk ik en ik neem het beestje weer van de grond om het op tafel te zetten. Spinner doet zich als uitgehongerde kat te goed aan zijn verse maaltijd.

Ik hoor het geluid van mijn gsm. Een bericht. Wie is dat nu weer? Ik haal hem eruit en zie dat het Max is.

ALLES GOED MET JOU? X

Ik hoop dat het snel dinsdag is, dan vertrekt Max op vakantie en hoef ik het niet meer over mijn mislukte auditie te hebben. Als ik nu reageer, belt hij me waarschijnlijk meteen op en daar heb ik geen zin in, dus verwijder ik ook zijn bericht.

Het bakje van Spinner is leeg en zoals ik hem ken, wandelt hij onmiddellijk weg zonder me nog aandacht te geven.

'Verwende bastaard!' roep ik hem na als ik zie dat er naast zijn bakje nog vlees ligt dat hij weigert op te eten. Ik neem de keukenrol en raap het op, anders zullen J&B Spinner ook nog buitensmijten. Voor de derde keer in korte tijd biept mijn gsm.

'Wie nu weer?' roep ik uit en hardhandig grijp ik mijn gsm van tafel.

Het is mijn vader. Wat nu? Sinds hij op hotel logeert, heeft hij me al meer berichten gestuurd dan in mijn hele leven.

GAAT MAMA MEE?

Wie denkt hij wel dat ik ben! Superwoman?

'En, hoe was het?' Ik schrik en slaak een korte gil. Mijn moeder staat aan de keukendeur. Ik heb haar helemaal niet gehoord.

'Sorry,' glimlacht ze. Ik haal mijn schouders op als antwoord op haar vraag, ondertussen merkt ze Irena de eekhoorn op.

'Wat is dat?' vraagt ze terwijl ze het opgezette beest ondersteboven draait om het kleine opschrift te lezen.

'Gekregen van Queen Oma voor Pasen.'

'Irena?' zegt ze hardop nadat ze het opschrift gelezen heeft.

'Ja, eigenlijk heb ik het van haar gekregen.'

Nu frontst mijn moeder haar voorhoofd.

'Die is toch dood,' zegt ze en ze zet de eekhoorn weer op tafel.

'Dat zei papa ook.'

Er valt een stilte. Ze loopt niet weg en begint niet te huilen. Wil dit zeggen dat ik over papa kan praten?

'Hij vroeg of je morgen meegaat naar een filmpremière.' Ik kijk haar gespannen aan. 'Ik ga ook mee, wij met z'n drieën.'

'Ik weet het nog niet,' zucht ze.

Ik schenk voor mezelf ondertussen een glas water uit.

'Jij ook?' vraag ik.

Ze schudt haar hoofd. 'Ik heb iets sterkers nodig,' antwoordt ze en ze gaat naar de kast met de sterke drank. Ik hoop niet dat mijn moeder een drankprobleem heeft, tegenwoordig lijkt het alsof ze alleen maar sterke drank drinkt in plaats van water.

'Waar zijn J&B trouwens?' vraag ik nu ik merk dat het hier verschrikkelijk stil is. Geen televisie, geen gekibbel, geen radio, niets, alleen typische huisgeluiden.

'Naar huis, ze moeten morgen weer werken.'

Ik haal opgelucht adem en grijp naar mijn gsm om Paula te verwittigen dat de kust veilig is en ik haar ontzettend mis.

Maandag 5 april

STATUS: Is er leven na de dood en heet ze dan Irena?

DRRRRRRRING! De rust is officieel voorbij.

Aan de voordeur staan tante Tilly, in een gele wikkeljurk met bruine Birkenstocks, haar grote liefde Fab, met dezelfde teenslippers, en Cornelia, die lijkt weggewandeld uit een vampierfilm. Zwart haar, zwarte jurk, zwarte boots en een witgepoederd gezicht met zwart omrande ogen en rode lippen. Als ik dat plaatje voor me zie, vraag ik me verbaasd af of het wel familie van me is.

'Dag liefje,' zegt tante Tilly en ze omarmt me. De rillingen lopen nu al over mijn rug. Ik hoop dat Fab niet hetzelfde van plan is.

'Dag Loulou,' zegt hij met een zware stem en op het eerste gezicht lijkt het erop dat hij me gewoon een hand zal geven, maar dan plet hij me tegen zich aan.

'Het komt allemaal goed,' fluistert hij terwijl hij zo hard op mijn rug klopt dat ik de fluimen voel loskomen.

'Hey Lou.' Ook al ziet Cornelia er het minst normaal uit, haar houding spreekt dat tegen.

'Dag Cornelia,' glimlach ik naar haar. Het zou me niet verwonderen als ze een grote fan is van *The Twilight Saga* en haar oog heeft laten vallen op Robert Pattinson.

'Mama!' roep ik beneden aan de trap. 'Ze zijn er.'

Mama verschijnt boven aan de trap in een luchtig jurkje en haar nieuwe slippers van Chanel.

Het shoppen en de Tic Tacjes die ze nog steeds als slaappillen gebruikt, hebben haar blijkbaar deugd gedaan. Ze ziet er al minder opgezwollen uit in haar gezicht, ook door het beetje make-up dat ze op heeft.

'Hoi Tilly.' Uitzonderlijk vrolijk loopt ze de trap af. Normaal is ze niet zo enthousiast als ze Tilly en haar gevolg ziet, laat staan in deze situatie. Volgens mij komt het enthousiasme voort uit de nieuwe outfit die ze aangetrokken heeft.

'Hoi lieve zus van mij.' Tante Tilly uit haar bezorgdheid met een stevige knuffel, die mijn moeder ondergaat terwijl ze met een bezorgde blik naar Fab kijkt. Ik weet wat ze denkt, op dat vlak zijn we moeder en dochter, ze is vast bang dat hij net hetzelfde zal doen. Van tante Tilly kan ze het nog verdragen, maar bij Fab niet, vanwege zijn dreadlocks, die al jaren niet meer gewassen zijn.

Het geeft me weer hoop om mama zo te zien. Misschien kan ze vanavond toch mee naar de première. Dan kunnen we aan de pers laten zien dat ze ons niet klein krijgen. Het idee geeft me energie, alleen weet ik niet goed wat ermee te doen.

Ik kijk naar Cornelia, die wezenloos voor zich uit staart alsof het zonlicht haar in coma gebracht heeft. Waarschijnlijk heeft ze hier evenveel zin in als ik. Niet dus.

'Zin om naar mijn kamer te gaan?' vraag ik haar. Het is dat of hier de hele middag met z'n allen rond tafel zitten en thee drinken, want tante Tilly en Fab drinken geen koffie. Ze hebben speciale thee mee voor mijn moeder om haar innerlijke zelf te sterken en tot rust te laten komen. Rust heeft mijn moeder niet meer nodig, de winterslaap van een eekhoorn is er niets tegen. En haar innerlijke zelf sterken doet mijn moeder liever net zoals ik met een bankkaart in de winkelstraat. Thee is niet echt ons ding.

Cornelia staat zonder een spier te vertrekken op. Ze ziet er wel griezelig uit, misschien is het toch niet zo'n goed idee om met haar alleen in één kamer te zijn.

Het eerste wat ik doe als we mijn kamer binnen komen, is de gordijnen opentrekken, zodat het zonlicht binnenvalt. Cornelia gaat op het bed zitten, terwijl ik op mijn bureaustoel plaatsneem. Het is stil, we weten allebei niet goed wat zeggen.

Tot Cornelia op monotone toon zegt: 'Je hebt een sms.' Haar hele blik is gericht op mijn gsm, die op mijn bureau ligt.

'Hoe weet jij dat? Hij is niet eens afgegaan,' vraag ik wantrouwig. Bezit ze telepathische gaven? Het zou me niet verwonderen, die vampier uit *Twilight* komt toch ook altijd uit het niets opduiken. Straks eens googelen wat de kenmerken van een vampier zijn.

'Het schermpje lichtte op.' De enige beweging die ze maakt, is met haar vinger naar mijn telefoon wijzen.

'O,' zeg ik opgelucht. Ik kijk snel wie het is. Mijn vader met de steeds terugkerende vraag hoe het met mama is gesteld.

Ik antwoord dat het beter gaat en leg mijn gsm weer op mijn bureau. Cornelia en ik weten nog steeds niet wat we tegen elkaar kunnen zeggen.

'Waar heb je die gekocht?' vraagt ze dan en ze wijst naar Irena de eekhoorn.

'Die heb ik gekregen van Queen Oma.'

Ze fronst haar wenkbrauwen.

'Ik heb die nooit gezien,' zegt ze een beetje verbaasd. Ze staat op en loopt naar de eekhoorn op mijn bureau.

Ik leun naar achteren, zodat ze niet te dicht in de buurt van mijn hals komt, want misschien is het wel een valstrik.

'Vind je hem mooi?' vraag ik. Ze reageert niet. Ze streelt alleen de pels van de eekhoorn en mompelt dan: 'Arme eekhoorn.'

'Wil je hem graag hebben?'

Ze schudt haar hoofd en zet de eekhoorn terug op zijn plaats.

'Nee, ik ben tegen dierenmishandeling.'

Ik weet niet goed wat ik daarop moet zeggen, want uiteraard ben ik er ook tegen, maar ik kan er toch niets aan doen dat die opgezette eekhoorn toevallig in mijn kamer is terechtgekomen.

'Ik heb hem gekregen,' verontschuldig ik mij. Net op dat moment wandelt Spinner de kamer binnen, waarschijnlijk is hij beneden gevlucht voor de dierenmassage van Fab. Fab masseert Spinner in plaats van hem te aaien. Ik heb de indruk dat Spinner het wel voor even kan waarderen, maar na een tijdje wordt hij er groggy van.

'Het is niet jouw schuld,' zegt Cornelia terwijl ze zich naar Spinner buigt, hem oppakt en zich samen met hem op bed zet. Cornelia en Spinner hebben altijd een bijzondere band gehad.

Ik kijk naar Irena en krijg medelijden met haar. Hoewel ze dood is en geen greintje ziel meer bezit, heb ik de neiging om haar ook te strelen. Maar ik doe het niet, het is nogal belachelijk.

'Wist je dat ze in Azië katten en honden slachten voor hun pels!'

Ik slik even. Het is nogal een eng beeld om Cornelia dat te horen zeggen terwijl ze Spinner over zijn kopje streelt. Zo te zien is Spinner er nogal gerust in.

'Nee.' Ik wist wel dat ze die arme beestje als maaltijd serveren, maar ik heb me nooit vragen gesteld over hun pels. Wat ik me wel afvraag, is of vampiers ook katten lusten.

'Ik ben vandaag actie gaan voeren tegen die praktijken. Ik zat in een kooi verkleed als poes.'

Dat verklaart natuurlijk haar witgepoederde huid, zwart omrande ogen en rode lippen.

'Jij was zeker een witte poes?' lach ik.

'Ik was een naakte poes,' reageert ze onthutst. 'Het gaat hier wel over bont.' Alsof ik de boodschap niet begrepen had.

'Zat jij naakt in die kooi?'

'Niet helemaal, omdat ik nog minderjarig ben.'

'Dus als je achttien was geweest, dan was je helemaal bloot in zo'n kooi gekropen?' vraag ik verwonderd.

'Natuurlijk,' antwoordt ze alsof het de normaalste zaak van de wereld is.

Ik schrik ervan. Nu begrijp ik waarom Spinner en zij zo'n band hebben. Zou Spinner meer respect voor me hebben als ik dat ook zou doen? Alleen weet ik niet of ik naakt in een kooi wil zitten. Tenzij ik een schuchter poesjes mag spelen dat helemaal ineengekrompen zit en een masker aanheeft, dan wil ik het nog wel overwegen.

'Wordt het goed betaald?' vraag ik nieuwsgierig, want er bestaat een kans dat ik binnenkort een bijverdienste moet zoeken en dan toch liever een die goed betaalt.

Cornelia kijkt me vol ongeloof aan. Wat heb ik nu weer fout gezegd?

'Ik doe dat vrijwillig.'

Nu kijk ik haar ongelovig aan. Vrijwillig? Wie wil er nu vrijwillig naakt in een kooi zitten?

Ik neem het speelmuisje van Spinner onder het bed vandaan en zwaai het naar hem.

'Dat is dus gemaakt van kattenhaar,' zegt Cornelia laconiek.

Onmiddellijk gooi ik de nepmuis weg en ik laat meteen ook mijn afkeer horen. Spinner begrijpt dit als 'pak hem dan' en loopt erachteraan. 'Wil je zeggen dat Spinner eigenlijk met een vermomde soortgenoot speelt?'

Cornelia knikt bevestigend.

Ik trek Spinner weg van de muis en smijt het ding in de vuilnisbak.

'Bah, vies!' roep ik naar Spinner, als naar een klein kind. Hij kijkt me verward aan, miauwt en springt op de vuilnisbak. Ik hoop dat hij nu maar niet denkt dat hij nooit meer met muizen mag spelen. Ik zal toch een manier moeten vinden om hem duidelijk te maken dat echte muizen wel kunnen en nepmuizen niet. Iets waarover ik beter met Hind en Violet kan brainstormen dan met Cornelia. Of met mijn nieuwe vriendin, als ik die ooit tegenkom.

'Nee, af!' roep ik weer tegen Spinner, die niet uit de vuilnisbak kan blijven. Ik trek hem weg, maar steeds opnieuw grijpt hij naar de vuilnisbak, hij beschouwt dit natuurlijk als een spelletje. Uiteindelijk neem ik hem vast en zet ik hem op bed, waar hij weer af springt. Ik zucht en geef het op. Op het moment dat ik de vuilnisbak dieper onder mijn bureau duw, valt er iets op de grond. Het is Irena.

Achter mijn rug om is Spinner op het bureau geklommen. Hij ziet Irena vast als een potentiële speelkameraad, met alle gevolgen vandien.

'Sorry, Irena,' zeg ik en ik controleer of alles er nog aan zit, om ze vervolgens boven op de kast te zetten, zodat ze veilig is voor Spinner.

'Irena?' Cornelia kijkt me verbaasd aan.

'Ik noem haar zo omdat ze van Irena was.' Blij dat ik iets te zeggen heb, vertel ik haar het hele verhaal van Queen Oma en Irena, en dat ik niet zeker weet of ze nu de eekhoorn gestolen heeft of niet.

Cornelia is geschokt. Niet omdat Queen Oma steelt, maar omdat een opgezette eekhoorn nog steeds gegeerd is bij sommige mensen.

'Och, dat is alleen bij die generatie,' stel ik haar gerust, 'die is toch aan het uitsterven en dan stoppen ze daarmee. Nu maken ze dat niet meer.'

Cornelia pakt Irena vast en zet haar naast zich. In een mum van tijd springt Spinner ook naast haar op het bed.

Het hele verhaal heeft Cornelia aan het denken gezet. 'Misschien moeten we haar begraven,' stelt ze voor, terwijl ze Irena zachtjes blijft strelen.

Spinner is niet opgezet met de aandacht die Irena krijgt en probeert er zich met zijn kopje tussen te wringen.

'Irena?' vraag ik voor alle duidelijkheid om er zeker van te zijn dat ze het niet over Spinner heeft.

'Haar ziel heeft nog geen rust gevonden. Hoe kan ze nu vredevol rusten als ze van het ene huis naar het andere wordt verplaatst?'

Als ik Cornelia hoor praten, vraag ik me af of het ooit goed komt met haar. Haar gedachtekronkels zijn net een rollercoaster die in een bocht geblokkeerd zit: beangstigend én gevaarlijk.

'We moeten een rustige plek vinden,' zegt Cornelia en ze denkt even na. Het doet me denken aan de begrafenis van Poot, haar poes, vorig jaar. Ik hoop alleen niet dat het hetzelfde effect op me heeft, want meteen erna had ik mijn eerste afspraak bij Bertus de therapeut.

'Eekhoorns lusten eikels,' gaat Cornelia verder. 'Waar vinden we de meeste eikels?'

Ik denk meteen aan een plek waar alleen jongens mogen komen, maar dat is waarschijnlijk niet het soort eikels dat ze bedoelt.

'In de tuin staat een hazelaar,' antwoord ik. 'Is dat ook goed, denk je?'

Cornelia denkt even na, alsof ze nog niet zeker is.

'Het zijn ook noten,' zeg ik.

'Goed idee!' glimlacht ze en ze neemt Irena in haar armen om naar buiten te gaan.

Ik blijf nog even zitten en kijk naar Spinner, die geen moeite doet om Cornelia te volgen. Hij heeft begrepen dat hij voorlopig geen aandacht van haar zal krijgen.

Volgens mij ben ik een gemuteerd buitenaards wezen, want ik begrijp soms niets meer van wat er om mij heen gebeurt. Ik sta op en via de woonkamer ga ik naar buiten.

Cornelia heeft ondertussen al een spade gevonden en is bezig met een gat te graven. Ook Fab staat erbij.

'We gaan haar begraven, zodat ze eindelijk vrede kan vinden,' hoor ik Cornelia tegen hem zeggen. 'Deze hazelaar wordt haar paradijs.'

'Wat een nobel gebaar van jullie,' reageert Fab.

En dan schiet er mij iets te binnen. 'Dat is het!' roep ik enthousiast uit. Als mijn ouders vrede willen vinden, moet ze rusten in het paradijs! 'Bahamas here we come!' schreeuw ik dolgelukkig uit.

Cornelia en Fab kijken me verbijsterd aan.

'Sst,' gebaart Cornelia, 'we houden een minuut stilte.'

'O, sorry,' speel ik serieus, maar ik kan moeilijk een glimlach onderdrukken als ik denk dat ik straks mijn vader dit geniale voorstel doe.

STATUS: Kan een zilveren legging en een plaksnor mijn acteercarrière een boost geven?

Ik hoop dat het tenminste de oude foto's van mij uit de boekjes houdt. Er is alleszins geen weg terug, want mijn vader kan elk moment toeteren om me mee naar de filmpremière te nemen. Ik heb mama proberen te overtuigen, maar haar excuus was dat ze nog niet klaar was voor papa en vooral dat ze de laatste dagen niet onder de zonnebank is kunnen gaan, waardoor ze er veel te bleek uitziet, zei ze. Ook al maakte ik er haar attent op dat bleek zijn deze zomer helemaal in is, ze wimpelde het aanbod toch af. Het bevestigt alleen maar mijn vermoeden dat mama helemaal overstag zou gaan voor papa als hij haar een zonnige reis zou aanbieden.

'Je ziet er …' Jean-Jacques weet niet goed wat zeggen als hij me ziet.

'Schitterend uit,' vult Benny aan.

J&B zijn meteen na hun werk naar ons gekomen, alsof dit hun nieuwe thuis is. Ze hebben boodschappen gedaan, wat ik wel kan waarderen, maar alles wat ik lekker vind, zijn ze vergeten en alles wat ik verafschuw, hebben ze meegebracht. En niet alleen ik, ook mijn moeder paste voor het diner, dat iets met lever in een bruine saus was.

Ik maak een pirouette in mijn zilveren legging, wit hemdsjurkje, een sjaal met tijgerprint en zwarte boots.

'Dat kun je wel zeggen,' beaamt Jean-Jacques, 'is het niet een beetje te veel diva?'

'Dat moet, JJ, het is een rodeloperevent.'

'Maar ze is nog een kind,' zegt Jean-Jacques verontwaardigd.

'Een jonge vrouw!' verbetert Benny hem en hij staart me bewonderend aan. Volgens mij had hij graag een vrouw willen zijn. Hij zou elke dag een galajurk en hoge hakken aantrekken.

Ik zal maar niet zeggen welke verrassing ik nog in petto heb voor de rode loper straks. Als Jean-Jacques weet dat ik een plaksnor zal opzetten, verklaart hij me voor gek of houdt hij me tegen om te gaan. Voor een homo vind ik dat Jean-Jacques snel gechoqueerd is.

De voordeur gaat open.

'Prinses, ben je klaar?' roept mijn vader. Als hij de keuken binnen stapt en me ziet, kijkt hij geschrokken.

'Eh … je bent …'

'Incredibly beautiful!' vult Benny met volle overgave aan. Ik vraag me af of hij af en toe niet stiekem vrouwenkleren draagt.

'Inderdaad.' Mijn vader doet zijn best om enthousiast te klinken, maar ik zie hoe erg hij het vindt dat zijn prinses het roze ontgroeid is.

Hij moet maar begrijpen dat hier een hele strategie achter zit. Ten eerste wil ik de volgende keer in de pers een foto van me zien verschijnen waar ik me niet voor hoef te schamen, en ten tweede wil ik opvallen. Ik wil de aandacht trekken van regisseurs, producers en andere belangrijke televisiemakers.

'Kom, prinses, eh … jongedame,' herpakt mijn vader zich snel. 'We hebben niet veel tijd, de limo wacht.'

'De limo?' roep ik verrast uit.

Zelfs J&B slaken een kreet van opwinding en vliegen als twee dolgedraaide fans naar het raam. Mijn vader houdt ondertussen de voordeur voor me open.

'Wauw!'

J&B komen nu ook naar buiten.

'O my god!' schreeuwt Benny. Hij is helemaal ondersteboven van de grote, zwarte limo die voor ons staat. Een grote, vriendelijk chauffeur stapt uit, begroet ons bescheiden en opent het portier voor me.

'Je bent een echte ster, darling.' Benny slaat zijn handen voor zijn mond van ontroering. Hij staart naar de limousine alsof deze verrassing voor hem bedoeld is. Ik krijg bijna medelijden met hem, maar ook met mijn moeder. Stiekem kijk ik naar boven of ze niet aan het raam komt piepen. Zij had hier moeten instappen in haar nieuwe Chaneljurk. Maar ik zie haar niet en het gordijn beweegt zelfs niet.

Ik stap de limo in en wuif nog eens naar J&B, die overdreven uitgelaten terugwuiven.

'Hoe gaat het met je moeder?' zijn de eerste woorden van papa als we in de limo zitten.

'Beter.'

Hij knikt opgelucht. Mijn vader ziet er vermoeid uit. Hij kan precies ook wel wat vakantie gebruiken.

'Misschien moeten we met ons drieën op vakantie gaan,' suggereer ik, 'ver weg van alles en iedereen. Dan kunnen jij en mama tijd voor elkaar maken.'

'En wat ga jij dan doen?'

'O, ik weet wel wat te doen, maak je maar geen zorgen om mij,' antwoord ik heel snel. Ik zou niet willen dat ik moet thuisblijven omdat ze denken dat ik me alleen zal vervelen.

Mijn vader kijkt mijmerend uit het raam. 'Misschien,' mompelt hij. Hoezo misschien? Waarom twijfelt mijn vader aan het voorstel? Normaal reageert hij altijd enthousiast als het over reisplannen gaat. Hij is elk jaar de eerste om te zeggen wanneer we weg kunnen.

'Heb je veel werk?' vraag ik. Ik zie geen andere reden waarom we niet zouden kunnen gaan.

Hij reageert niet. Misschien heeft hij me niet gehoord.

'Heb je veel werk?' vraag ik nog een keer.

'Nee, dat is het niet,' antwoordt hij en hij draait zich naar me toe. 'Integendeel.'

Ik schrik van dat laatste woord. 'Integendeel?' vraag ik aarzelend.

Hij slaakt een diepe zucht. 'Door de hele heisa is die familieshow die ik normaal zou presenteren, afgesprongen.'

Ik schiet lijkbleek uit, zo voelt het alleszins toch aan, want ik heb geen spiegeltje meegebracht omdat ik niet verwacht had dat het op de korte rit naar de rode loper mis zou lopen. Het enige waarvoor ik een spiegel nodig heb, is om mijn plaksnor op te zetten, maar dat zou ik doen met behulp van de achteruitkijkspiegel.

'En de reguliere show?' Mijn vader presenteert al enkele jaren een populaire avondshow, het zou me verwonderen dat ze die afvoeren, want hij heeft tot mijn grote verbazing veel kijkers.

'Ik weet het niet, maar maak je maar geen zorgen,' zegt hij en hij knijpt met zijn hand in mijn knie om me gerust te stellen.

Ik moet me geen zorgen maken? Mijn carrière, mijn toekomst, mijn verdere leven hangt ervan af, en ik mag me geen zorgen maken? We zijn halverwege, ik moet iets bedenken om hem ervan te overtuigen dat als hij zijn relatie redt, de rest wel zal volgen.

We zwijgen allebei en staren elk door ons raampje naar buiten. De stilte maakt me ongemakkelijk. Het is niet het soort stilte die er meestal is tussen mijn vader en mij, zo'n stilte omdat je allebei helemaal in beslag genomen wordt door je eigen gedachten terwijl je toevallig in dezelfde ruimte zit. Nu is het anders, we denken allebei aan mama, aan onze situatie en vragen ons allebei af wanneer het weer zoals vroeger zal zijn. Het is een pijnlijke stilte.

'Welke film is het?' Ik kan er niet meer tegen en weet niet meteen wat ik nog kan zeggen om hem van gedachten te doen veranderen.

Mijn vader haalt zijn schouders op. 'Ik weet de titel niet meer, maar iets over een doorgeslagen manager die zijn hele gezin mee de ondergang in sleurt.'

Ik kijk hem verbijsterd aan. Volgens mij beseft hij niet dat de film gelijkenissen vertoont met zijn eigen leven.

'Een drama dus.'

'Maakt niet uit,' zegt mijn vader, 'ik zal toch wel weer in slaap vallen.' En hij lacht eens naar mij.

'Waarom ga je dan kijken?'

'Om mijn gezicht te laten zien.'

Wie zit er nu op zijn gezicht te wachten? is het eerste wat ik denk, maar ik begrijp wat hij bedoelt. Door je te laten zien, vergeten ze je niet en weten ze dat je nog steeds op de markt bent. In het geval van mijn vader is het belangrijker dan ooit. Alleen heeft hij onlangs iets te veel laten zien, waardoor hij juist van de markt wordt gehaald. Zijn populariteit is gedaald en die moet hij weer op zien te krikken. De première van een gezinsdrama moet hem daarbij helpen.

We draaien de straat van het bioscoopcomplex in. Mijn vader gaat rechtop zitten, frunnikt wat aan zijn strikje en doet wat mondoefeningen, zodat hij dadelijk weer een brede glimlach kan opzetten. Voor het eerst zie ik een gebroken man, iemand die onschuldig is, maar door iedereen als een lafaard met de vinger wordt gewezen. Het gevolg is dat hij zijn job, zijn vrouw, zijn huis en zijn vrienden verliest en hij weet niet meer hoe hij dit moet oplossen. Puree! Als ik hem niet help, dan gaan we allebei de ondergang tegemoet.

'Knijp in je wangen, je ziet wat bleek,' zeg ik, maar ik betwijfel of dat zijn redding zal zijn.

De limousine vertraagt en stopt uiteindelijk aan het bioscoopcomplex. De rode loper ligt uitgerold en de fotografen laten hun camera's flitsen.

Ik haal mijn grote fashionwapen, de plaksnor, uit mijn tasje en leun voorover naar de achteruitkijkspiegel om hem juist te zetten.

'Wat doe jij nu?' vraagt mijn vader verbaasd en met een ongeruste blik kijkt hij me aan. 'Dit gaat live op antenne, ze kunnen je er niet meer uitknippen, hoor!'

'Vertrouw me nu maar,' knipoog ik naar hem.

'Meneer Roosenbroeck!' roept een reporter als we net de limousine zijn uitgestapt.

Mijn vader draait zich met een brede glimlach om, zijn tanden zijn zo gebleekt dat hij er volgens mij iedereen mee kan verblinden.

'Vertel, waar is uw vrouw?' De reporter duwt de microfoon onder mijn vaders neus.

'Ik ben vandaag met mijn prachtige dochter gekomen,' ontwijkt hij de vraag. 'Dat mag toch ook eens,' lacht hij terwijl hij me naar zich toe trekt.

Ik zie de verwonderde blikken van de reporters, en de camera's flitsen aan één stuk door. Ik hoor ook enkele keren mijn naam roepen, waardoor ik telkens met een grote glimlach in de lens kijk.

'Vervangt zij jouw vrouw?' blijft de reporter aandringen.

Mijn vader lacht gespeeld en zegt: 'Niemand kan mijn vrouw vervangen, maar mijn dochter wilde deze film graag zien.'

Ik moet zeggen dat hij zich aardig redt.

'Maar waar is uw vrouw nu?' De reporter is een doorzetter.

Mijn vader wil zich van hem afmaken door me weg te trekken en te doen alsof we verder moeten lopen.

'Zij pakt momenteel onze koffers,' antwoord ik, ongelooflijk trots dat ik nu ook iets kan zeggen. Ik merk de frons van de reporter op en achter de gespeeld vrolijke ogen van mijn vader bespeur ik eveneens een bezorgde blik.

'Dus je ouders gaan uit elkaar?' vraagt de reporter.

Nu pas besef ik wat ik gezegd heb.

'Loulou wil zeggen …' begint mijn vader, maar ik ben hem te snel af.

'We gaan met z'n allen op reis.'

'O! Op die manier,' lacht de reporter. 'En wat is de bestemming?'

Oeps! Daar had ik nog niet over nagedacht.

'Dat is een verrassing,' zegt mijn vader meteen en hij neemt me bij de schouder en duwt me zachtjes maar dwingend verder.

'Als dat geen verrassing is,' fluister ik giechelend.

'Hoe ga ik dit weer oplossen?' zucht mijn vader.

'Gewoon,' antwoord ik, 'door morgen tickets te boeken.

Mijn vader schudt het hoofd en aan zijn blik zie ik dat hij toch wel opgelucht is dat ik er geen fiasco van gemaakt heb.

Zodra we binnen zijn, stapt mijn vader naar enkele collega's toe. Ondertussen trilt mijn gsm. Het is een bericht van mijn moeder.

ZIJ GAAT ZEKER MEE?

Met zij bedoelt ze de jongere versie van zichzelf, Annika. Mijn moeder gedraagt zich nog kinderachtiger dan een puber. Zelfs Violet en Hind hebben nog nooit zo belachelijk dramatisch gedaan over een relatie.

ALS PAPA TERUG MAG KOMEN,
GAAN WE SAMEN NAAR HET PARADIJS.
ANDERS MAG JIJ ALLEEN NAAR SIBERIË.

Ik hoop dat ze het niet te serieus opneemt, maar ik vind het zelf best wel grappig. Een belachelijke vraag bestrijd je het best met een belachelijk antwoord. Ze reageert meteen.

OKÉ, MORGEN. EN JIJ ZONDER SNOR ;-)

Vindt ze mijn snor niet fashionable? Het is nochtans helemaal hot. Ik vrees dat mijn moeder achterop begint te lopen. Ik hoop dat haar job niet in gevaar komt omdat ze niet meer mee kan met de laatste trends. In ieder geval is ze volgens mij wel blij dat mijn vader morgen weer naar huis komt, maar dat kan ze niet onmiddellijk laten zien. Het is belangrijk dat ze nog even de gekwetste vrouw speelt.

De reden waarom ze hem vanavond nog niet thuis laat komen, is doodeenvoudig. Ze wil zich voorbereiden, de lakens verversen, zich opmaken, haar haren wassen en föhnen, een beetje opruimen, zodat hij niet denkt dat ze een slons is. Ik denk dat volwassenheid niet zoveel verschilt van puberteit, alleen je uiterlijk en je financiële toestand verandert, al de rest blijft volgens mij hetzelfde.

Ik stap op mijn vader af, die ondertussen bij andere bekende tv-figuren staat. Het zijn niet bepaald de figuren waar mijn generatie van wild van is.

'Jouw zoon?' vraagt de nieuwslezer uit het groepje. Het is humor van een andere generatie. Iedereen lacht behalve ik natuurlijk.

'Sinds kort. Daarvoor had ik een dochter, maar het was nu wel eens tijd voor een zoon,' grapt mijn vader, en iedereen lacht weer behalve ik.

Ik vraag me af of mijn vader dit nu echt grappig vindt. Als er nog één domme opmerking komt, trek ik mijn snor af.

'Tegenwoordig is zo'n operatie routine,' lacht de politicus die meer in spelprogramma's zit dan in het parlement.

'Inderdaad,' reageer ik geïrriteerd en ik trek mijn snor er in één ruk af. 'Een routineoperatie.'

De nieuwslezer en de politicus kijken me verbaasd aan, mijn vader kan een lach niet onderdrukken. Ik gebaar dat ik hem iets moet zeggen.

'Excuseer ons even,' zegt hij tegen de twee mannen, die begrijpend knikken en denken dat ik nu op het matje wordt geroepen.

Ik laat mijn vader de berichtjes van mama lezen. Dat lijkt me veiliger, want er moest maar weer een reporter zijn oren openhouden.

'Oké, ik bestel morgen tickets.'

'Waarheen?' vraag ik nieuwsgierig.

Hij haalt zijn schouders op omdat hij geen enkel idee heeft. En dan krijg ik een geniale inval.

'Waar zijn jullie op huwelijksreis geweest?'

'Parijs.'

Hm, mijn inval was dan toch niet zo geniaal. Ik had gehoopt op iets meer exotisch.

'Romantisch,' zucht ik teleurgesteld.

Mijn vader moet erom lachen. 'We hadden niet veel tijd,' zegt hij. 'Je moeder wilde dolgraag naar Hawaï, maar we hadden ook niet veel geld.'

'Maar nu hebben we tijd en geld, toch?' Ik aarzel een beetje bij het woord 'geld', maar voor het overige ben ik hoopvol gestemd en zie ik mezelf al rondlopen met een bloemenkrans.

'Ik zoek het morgen uit.'

Ik wil mijn vader al om de hals vliegen en het uitschreeuwen van geluk, maar ik kan me net op tijd inhouden. De snor heeft me al genoeg afkeurende en vreemde blikken opgeleverd. Allemaal saaie mensen zonder een vleugje gevoel voor mode en wat er beweegt in deze wereld.

'Kom, het is tijd voor een dutje,' fluistert mijn vader me toe als iedereen zich naar de filmzaal begeeft.

Net voor ik mijn gsm wil uitzetten, merk ik nog twee ongelezen berichten. Het eerste is van Violet.

ALLES SNOR? :-D

Typisch dat Violet het gezien heeft. De televisie staat daar constant aan zoals bij andere mensen de radio aanstaat. De moeder van Violet is volgens mij een wandelende showbizzencyclopedie. Ze weet alles van iedereen.

Het tweede bericht is van Max.

BINNENKORT PREMIÈRE VAN MIJN FILM! ;-)

Wat een stom bericht. Waarom moet hij het nu per se over zichzelf hebben, alsof hij het hoofdpersonage is? Hij zegt waarschijnlijk hoogstens een zin, die ze er dan misschien nog uitknippen ook.

Ik verwijder het bericht, het maakt me slechtgehumeurd. Morgen vertrekt hij op vakantie, dus ik zal hem dan wel iets sturen. Dat ik ook op vakantie ga.

De lichten gaan uit en een blonde presentatrice neemt het woord. Snel stuur ik nog een laatste maar superbelangrijk bericht.

Zoals verwacht dommelt mijn vader in. Ik kan het hem niet kwalijk nemen, want het is een voorspelbare en slechte film. Af en toe moet ik met mijn elleboog stoten omdat ik beginnende knorgeluiden hoor.

Na het gematigde applaus, wat zoveel wil zeggen dat er geen staande ovatie was, hebben mijn vader en ik nog een glas gedronken, maar daarna zijn we in alle stilte vertrokken. We hadden allebei geen zin om tegen iedereen te liegen hoe goed we de film wel niet vonden.

'Tot morgen, prinses,' zegt hij als we voor ons huis staan. De vermoeidheid klinkt door zijn stem.

'Tot morgen, met je koffer en de tickets!' zeg ik gespeeld bevelend.

'Oké, commandant!' antwoordt hij en hij salueert.

Als ik binnenkom, is het stil. Alleen het nachtlampje aan de trap brandt. J&B zijn waarschijnlijk weer in hun eigen bed gaan slapen, gelukkig maar.

De kamerdeur van mijn moeder staat op een kier. Ik probeer binnen te gluren, maar zie alleen haar benen, die een slaaphouding verraden.

Morgen is het allemaal achter de rug, eindelijk kan mijn gewone leven opnieuw beginnen, of toch een stuk ervan. Ik moet nog steeds beslissen wat ik met Thomas ga doen. Woensdag heb ik met Violet afgesproken en dan wil ik polsen wat het beste is om te doen. Tenslotte heeft ze meer ervaring met langdurige relaties. Ik hoop dat ze niet te lang moet trainen en bij haar moeder moet werken, dan kunnen we nog gaan shoppen en een ijsje eten, want daar heb ik enorm veel zin in.

Dinsdag 6 april

STATUS: Gelukkige ouders en een publieke vernedering. Moet ik nu lachen of huilen? Van ellende of van geluk?

Ongeduldig zitten mama en ik aan de ontbijttafel op papa te wachten. Niet dat we het hardop tegen elkaar zeggen, maar niet voor niets zijn we allebei vanochtend om halfzeven spontaan wakker geworden.

Mama heeft meteen koffie gezet en ik ben naar de bakker gelopen voor ontbijtkoeken. Ondertussen is het acht uur en mijn moeder bladert voor de zesde keer door een modeblad, terwijl ik de laatste ontbijtkoek in kleine stukjes opeet.

Wanneer er een sleutel in het slot van de voordeur draait, springen we allebei op. Is dat papa al? Mama en ik werpen elkaar een bedenkelijke blik toe, want als dat papa is, dan heeft hij de tickets online gekocht en dat is niet zijn gewoonte. Hij houdt ervan om naar het reisbureau te gaan, verschillende bestemmingen tegen elkaar af te wegen, samen met de reisadviseur te overleggen. Bovendien houdt hij van de aandacht en de extraatjes die hij erbij krijgt omdat hij een bekend iemand is. Bekend zijn heeft zo zijn voordelen en als het mogelijk is, profiteert mijn vader er wel van. Zo hebben we in Miami ooit in een suite gelogeerd aan de prijs van een goedkopere kamer. Het was fantastisch, want we hadden uitzicht over de oceaan, ons eigen terras en een jacuzzi.

'Paula!' roep ik als ik haar aan de keukendeur zie staan. Wat ben ik blij haar te zien!

'Goedemorgen!' roept ze even enthousiast terug met haar Franse g en ze houdt een zak boterkoeken in de lucht. Als ze het stukje croissant voor mij ziet liggen, laat ze hem snel weer zakken.

'Het is niet erg,' zegt mijn moeder en ze staat op om Paula een kus te geven, 'we eten ze vanmiddag wel op.'

In hoeverre Paula mijn moeder begrepen heeft, is niet duidelijk, maar mijn moeder is in ieder geval ook blij dat Paula terug is, want ze haalt spontaan de keukenschort van Paula boven, schenkt haar een kopje koffie in en dwingt haar bijna om aan tafel te komen zitten. Er wordt niet veel gezegd, wat ook niet verwonderlijk is met iemand die het Nederlands amper machtig is.

Uiteindelijk ga ik terug naar mijn kamer en installeer ik me voor de computer om de tijd te doden tot papa er is en ik eindelijk mijn koffer kan beginnen pakken. Met goede hoop dat er op een vakantiedag om halfnegen 's ochtends al iemand op de chat zit, meld ik me aan. Tot mijn grote verbazing is Max online.

Maximilanus zegt:
Goedemorgen baby ;-)

Wat is hij goedgehumeurd. Ik twijfel nog even of ik zou antwoorden, maar ik kan hem niet blijven ontwijken.

Maximilanus zegt:
Nog wakker aan het worden?
Ik ben gepakt en gezakt.

Dan valt mijn euro dat hij vandaag op vakantie vertrekt. Samen met zijn ouders gaat hij een week naar Rome.

Krul zegt:
Wij vertrekken binnenkort ook!

Wat is het fijn om dat te kunnen schrijven.

Maximilanus zegt:
Heb het gehoord.
Waarheen?
Krul zegt:
Verrassing! Spannend!
Maximilanus zegt:
Stel je voor dat je ook naar Rome komt! :-D

Krul zegt:

Denk het niet. Daar is geen strand.

Maximilanus zegt:

Zucht ;-) Wou dat ik ook naar een strand kon.

Het doet deugd om dat te lezen. Eindelijk heb ik ook iets waar Max een beetje jaloers op is. Wil ik een goede vriendin zijn, dan moet ik op z'n minst vragen hoe de film geweest is. Misschien moet ik het vragen na de vakantie.

Maximilanus zegt:

Het filmen was leuk, vond het mega!

Typisch dat hij er zelf over begint. Zal ik doen alsof ik offline of er even niet ben of zo?

Maximilanus zegt:

Maar met jou zou het nog een leukere en betere film geweest zijn.

Krul zegt:

Daar zal de regisseur nog spijt van krijgen als hij me later in Hollywood ziet ;-)

Maximilanus zegt:

:-D Moeder roept, we gaan vertrekken!

Krul zegt:

Have fun en chill!

Maximilanus zegt:

Idem. Tot snel x

Krul zegt:

x

Ik ben blij dat ik die korte chat met Max heb gehad. Dat hij mij beter vindt dan die andere actrice is wel fijn om te horen. Maar wat ga ik nu doen? Ik verwacht mijn vader pas tegen de middag, wanneer hij van het reisbureau komt. Hind heeft de hele dag computerles en Violet vertrekt op een sportieve daguitstap met de atletiekclub. Puree, wat kan wachten lang duren.

Ik ga weer even op bed liggen, wriemel een tijdje van de ene zij op de andere om uiteindelijk op mijn rug te eindigen. Ik probeer opnieuw in slaap te vallen, maar mijn ogen willen niet dicht blijven. De combinatie van koffie en spanning maken het onmogelijk om weg te zinken. Zelfs een boek vastpakken en me erop concentreren is een opgave. Ik heb het eerste blad nu al drie keer herlezen en nog steeds weet ik niet waarover het gaat.

De tijd tikt langzaam voorbij, telkens als ik op de klok kijk, zijn er welgeteld twee minuten verstreken.

Uiteindelijk ga ik weer naar de keuken om nog een ontbijtkoek te eten. Even later komt mama naar beneden. Ze ziet er beeldig uit.

De twee en half uur in de badkamer hebben haar goed gedaan. Komkommermaskers, honing en citroenen in combinaties met dure crèmes op basis van walvisurine kunnen wel degelijk wonderen verrichten. Ik vraag me af wat ze allemaal nodig zal hebben als ze de pensioengerechtigde leeftijd heeft bereikt.

Ondertussen is het bijna middag. Paula zet de overige boterkoeken op tafel met wat beleg. Zowel mama als ik passen voor het eten. We zijn allebei te benieuwd waar de reis heen gaat. Dat geldt alleszins voor mij, mijn moeder is eerder nerveus om mijn vader weer te zien. Paula mompelt wat in het Pools en wijst daarbij naar de onaangeroerde boterkoeken.

En dan breekt het grote moment eindelijk aan. Mijn vader komt binnen met in zijn ene hand zijn tas, in zijn andere hand een zak met boterkoeken en onder zijn oksel de krant. Hij houdt de zak met de koeken omhoog en zet ze op tafel, waarna hij de krant op tafel gooit.

'Kijk maar eens bij de showbizzpagina's,' grinnikt hij naar mij. 'Je hebt mijn carrière gered, maar hoe het met die van jou afloopt, valt nog af te wachten.'

Ik heb geen idee waarover hij het heeft en ongeduldig blader ik naar de laatste pagina's. Er verschijnt een grote close-up van mij met snor. Even ben ik blij, tot ik de kop erboven lees: DOCHTER ROOSENBROECK PSYCHI-SCHE PROBLEMEN?

'Wat!' roep ik verbouwereerd. 'Waarom? Wie heeft dit geschreven?'

Ik kijk mijn ouders aan, maar in plaats van even perplex en ontgoocheld te zijn als ik, persen ze hun lippen op elkaar om niet in lachen uit te barsten.

'Vinden jullie dit grappig?'

'Trek het je niet aan,' probeert mijn moeder me te troosten, 'morgen is iedereen dat vergeten.'

'Het zijn maar roddels,' vult mijn vader aan.

Nu ben ik helemaal versteld. Beseffen ze wel wat ze zeggen? Mijn leven stond de laatste dagen op zijn kop omdat iemand niet wilde aanvaarden dat het maar roddels waren die in de boekjes stonden. Ik heb mijn eigen toekomst op het spel gezet en nu moet ik het me niet aantrekken? De volgende jaren zal deze foto elke keer verschijnen als ze het over de familie Roosenbroeck hebben. En waarschijnlijk wordt er bijgeschreven: LOULOU MET PSYCHISCHE PROBLEMEN. Zo meteen moet ik die journalist nog gelijk geven, je zou voor minder psychisch gestoord worden.

'Je kunt het best even in de anonimiteit verdwijnen,' grapt mijn vader, 'en daarvoor heb ik deze.' Hij gooit vliegtuigtickets op tafel.

Normaal zou ik er meteen op afvliegen, maar ik ben helemaal de kluts kwijt. Moet ik nu blij zijn vanwege de tickets of moet ik nu huilen vanwege het artikel?

'Vliegtuigtickets?' zegt mijn moeder verbaasd.

Mijn vader kijkt haar met blinkende ogen vol verlangen aan. Waarom vliegen ze elkaar niet om de hals om passioneel te kussen? vraag ik me af. Wat heeft mijn moeder nog nodig om weer de oude te worden? Ik ben hier tenslotte wel publiek vernederd. Ik geef haar een harde schop onder tafel.

'Au!' Ze wrijft over haar been en begint dan te huilen.

Heb ik haar te hard geschopt?

'O, lieverd,' snikt ze en ze kijkt naar de tickets, 'onze huwelijksreis.'

Ik ga ervan uit dat ze huilt van ontroering.

Mijn vader opent zijn armen, waarop mijn moeder opstaat en hem omhelst.

'Sorry,' snikt ze.

'Het is niets,' fluistert mijn vader, maar ik heb hem toch gehoord. Het is niets? Ik ben door de hele situatie een paar Sergio Rossipumps verloren, ben tweemaal publiekelijk vernederd in de pers, de eerste keer met een foto zonder tanden en de tweede keer met een foto met snor. Bovendien heb ik niet meer fatsoenlijk gegeten sinds Paula is weggegaan. En wat is dat met die huwelijksreis? Ik mag toch wel mee?

Ik grabbel de vliegtuigtickets van tafel en tel ze. Ik ben opgelucht als ik er drie tel, maar bedenk dat ik nog steeds niet weet waar we naartoe gaan.

'Honolulu!' roep ik verbaasd uit. 'We gaan naar Honolulu!' Alsof ik het nog eens moet zeggen om er zeker van te zijn dat ik het juist gelezen heb.

Mijn ouders lachen naar mij, terwijl ze elkaar nog steeds omhelzen. Ze lijken net twee onwennige verliefde pubers die plots niets meer weten wat ze tegen elkaar kunnen zeggen.

'Wanneer vertrekken we?' vraag ik ongeduldig aan mijn vader, maar ondertussen kijk ik zelf op het ticket. 'Donderdag!' antwoord ik op mijn eigen vraag.

Als ik geweten had dat mijn moeder zo snel overtuigd zou zijn met een vliegtuigticket naar Honolulu, dan had ik het eerder voorgesteld. Dan konden we tenminste langer blijven dan de week die nu geboekt is.

'Ik ga alvast mijn koffers pakken, Hind en Violet op de hoogte brengen, Max even mailen met mijn exotische bestemming en … O, ik heb nog zoveel te doen!' ratel ik maar door en met de snelheid van een razende rollercoaster spurt ik naar mijn kamer.

STATUS: Is Thomas wel de ware voor mij? Ligt mijn toekomst in Moskou?

Van: Thomas Swaelens <t.swaelens@hotmail.com>
Datum: 06 april 13:14
Onderwerp: Surprise!
Aan: Loulou Roosenbroeck <loulou.roos@hotmail.com>

Lieve babouchka,

Ik heb een grote verrassing voor je! We landen donderdag in Brussel!!!!!!! Mama heeft nog lastminutetickets gevonden. Dus we kunnen nog zeker een week samen zijn!

Tot donderdag
Thomaski x

Typisch dat dit weer moet gebeuren! Juist als ik denk dat alles weer normaal loopt, komt er weer iets tussen dat chaos veroorzaakt. Vreemd genoeg maakt het bericht me niet blij. Ik blijf er heel kalm onder.

Van: Loulou Roosenbroeck <loulou.roos@hotmail.com>
Datum: 06 april 13:56
Onderwerp: Re: Surprise!
Aan: Thomas Swaelens <t.swaelens@hotmail.com>

Lieve Thomas,

Wat leuk voor jou, maar totaal onverwachts vertrekken wij ook nog last minute op vakantie. Ik vrees dat we elkaar maar even kunnen zien. Stom, hè!

Krul
Lx

Woensdag 7 april

STATUS: Zijn drie bikini's genoeg voor een weekje 'Aloha'?

Ons gezinsleven zit weer op de rails. Mijn moeder heeft zich teruggetrokken in haar bureau om haar werkachterstand in te halen. Mijn vader is druk in de weer omdat de geplande familieshow toch doorgaat. Paula heeft zich de keuken weer toegeëigend en is bezig met de voorbereidingen van het dessert voor vanavond: chocomousse van pure chocolade. Naar dat moment van de dag kijk ik nu al uit, maar eerst moet ik lijden en het zal pijn doen.

Straks ga ik joggen met Violet! Het is de enige manier om haar nog te strikken voor ik op vakantie vertrek. Dat bewijst dat ik veel overheb voor mijn vriendinnen, want ik heb wel leukere dingen te doen dan kilometers te joggen (al zal het in mijn geval eerder meters zijn). Ik zou me nog liever onderwerpen aan fysica dan mijn longen uit mijn lijf puffen. Maar Violet is mijn beste vriendin en we hebben elkaar al lang niet meer gezien.

Bovendien wil ik haar mening horen over Thomas. Ik weet niet meer wat ik moet doen. Na dat mailtje van gisteren dat hij morgen onverwachts toch nog naar België komt, is er in mijn hoofd een ja-neespelletje aan de gang. Zou ik het uitmaken met hem of niet? Puree, ik weet het niet meer. Aan de ene kant ben ik het beu om een vriendje te hebben, uiteindelijk hebben we toch niets aan elkaar. We houden onze relatie in stand door te skypen, mailen en chatten. Eigenlijk hebben we een digitale relatie. Aan de andere kant vind ik het zo erg voor Thomas. Misschien ben ik wel het enige wat hem overeind houdt in Moskou. Hoewel hij ook wel goed overeenkomt met Svetlana, hun huishoudster met de perfecte topmodelmaten. Puree, als ik nog maar aan haar denk, draait mijn maag al om.

Ik probeer me te concentreren op wat echt belangrijk is: mijn koffer pakken. Mijn hele bed ligt vol zomerse topjes, rokje, jurkjes, shortjes ... Juist wanneer ik me afvraag hoeveel bikini's en badpakken ik nodig heb, gaat de bel van de voordeur. Noch mijn ouders, noch ik reageren onmiddellijk, omdat ik verwacht dat zij zullen opendoen. Maar aan het aanhoudende gebel te horen, verwachten zij dat ook van mij. Het stopt even om dan over te gaan in een ritmisch gerinkel. Het maakt me gek. Ik loop de trap af en juist op dat moment komen mijn ouders uit het bureau.

'Waarom doe je niet open?' vraagt mijn moeder, alsof dat mijn taak is. Ik doe zelden de deur open, tenzij ik alleen thuis ben. Bovendien was ik boven op mijn kamer, terwijl zij zich vlakbij bevonden.

Ik reageer er niet op en ondertussen heeft mijn moeder de deur al opengedaan.

'Ha, eindelijk!' Queen Oma stormt binnen. 'Met jou moet ik eens een duchtig woordje praten.' En ze wijst naar mijn moeder, die helemaal uit de lucht komt vallen.

'Oei, wat heb ik gedaan?' lacht mama een beetje.

'Je gaat naar Parijs en laat me niets weten.'

Mama kijkt haar verbaasd aan, maar ik schiet in paniek en kijk naar mijn vader. Hij kijkt even verbaasd als mijn moeder. O nee! Hij is vergeten dat we gelogen hebben tegen Queen Oma.

'Ik heb je al de hele tijd proberen te bellen,' raast Queen Oma verder, 'maar ik kom telkens bij een zekere meneer Champagne uit en die man heeft me daarnet aan de telefoon uitgescholden omdat ik hem stalleken doe, wat dat ook mag betekenen.'

Ik heb een klein binnenpretje. 'Stalken,' verbeter ik haar.

Queen Oma kijkt me onbegrijpelijk aan. Volgens mij heeft ze het verschil tussen stalleken en stalken niet gehoord.

'Ik ben het zo beu dat ik maar hierheen ben gekomen,' verduidelijkt Queen Oma haar bezoek.

Er valt een stilte. Mijn moeder en vader staan perplex van de uitval van Queen Oma, terwijl ik heel snel een uitvlucht probeer te vinden voor de zogezegde uitstap van mijn moeder naar Parijs waar ze zelf niets van weet. Bovendien moet ik een manier bedenken om de telefoon van Queen Oma te onderscheppen en het nummer weer juist in te geven.

'Ik ben helemaal niet naar Parijs geweest,' zegt mijn moeder.

Queen Oma kijkt verbaasd naar mijn vader.

'Inderdaad, ze is niet naar Parijs geweest,' antwoordt hij.

Nu ben ik helemaal overtuigd dat mijn vader problemen met zijn korte-termijngeheugen heeft. Automatisch sla ik een hand op mijn hoofd van pure wanhoop. Zowel Queen Oma als mijn vader en moeder draaien zich naar mij toe. Ik moet dit probleem weer oplossen. Ofwel biechten we de waarheid op en zal Queen Oma woest zijn, omdat we tegen haar gelogen hebben, ofwel bevestig ik de woorden van mijn vader en beschuldigen we Queen Oma van geheugenproblemen.

'Mama is niet naar Parijs geweest,' zeg ik zo overtuigend mogelijk en tegelijkertijd heb ik veel medelijden met Queen Oma.

'Hoezo?' fronst ze haar gezicht en ze denkt even na. 'Waar was jij zondag dan?' vraagt ze aan mijn moeder.

'Thuis,' antwoord ik in haar plaats. Ik heb een inval gekregen en wil niet dat mijn ouders die om zeep helpen. Als ik Queen Oma ervan kan overtuigen dat we zondag geen discussie hebben gehad over Parijs en crème, dan is het een makkie om dadelijk het nummer van mama in haar gsm te veranderen.

'We hebben toch gezegd dat ze zich niet goed voelde,' ga ik verder en ik kijk even naar mijn vader, maar het lijkt erop dat hij zich nog steeds niets herinnert van zondag, ofwel speelt hij het heel goed.

Queen Oma slaakt een diepe zucht en de twee rimpels op haar voorhoofd vormen nog een diepere frons. 'Waarom lieg je?' vraagt ze en ze kijkt me met een indringende blik aan.

Betrapt! Iets in mijn gezicht of toon heeft me verraden.

'Ze liegt niet, Sophie voelde zich inderdaad niet goed zondag,' helpt mijn vader me uit de nood.

Ik kijk hem dankbaar aan, maar het is me nog steeds niet duidelijk of hij het spelletje meespeelt of echt geen flauw benul heeft dat we keihard staan te liegen.

Mama begrijpt daarentegen dat er iets niet klopt, dat merk ik aan haar gezichtsuitdrukking. Haar ogen vormen zich tot spleetjes en ze kijkt bedenkelijk van papa naar mij en weer terug.

'Ik voelde me inderdaad niet lekker,' zegt mama en ze zaait daardoor enorme twijfel in het hoofd van Queen Oma. Bovendien liegt mijn moeder niet zoals papa en ik, dus daar kan Queen Oma haar niet op betrappen.

Queen Oma krabt in haar haren, zucht nog een keer en gaat dan op een stoel in de keuken zitten. Met ons drieën volgen we haar naar de keuken, waar we tegen het aanrecht leunen. Wat zal ze nu doen? vragen we ons vol spanning af.

Voorlopig slaakt ze alleen hopeloze zuchten en denkt ze diep na. 'Hoe zit het dan met mijn telefoon?' vraagt ze uiteindelijk. 'Ik begrijp niet dat ik altijd bij die vervelende meneer terechtkom, daarvoor was dat toch niet?'

Mijn ouders antwoorden met een gebaar dat ze het niet weten.

'Ben je van nummer veranderd?' vraagt ze aan mijn moeder, die het hoofd schudt.

'Nee.'

'Het kan, want soms gebruiken ze die nummers opnieuw, dat heb ik toch gehoord.'

'Laat me eens zien,' zeg ik en ik steek mijn hand uit naar Queen Oma, zodat ze me haar gsm overhandigt.

Terwijl Queen Oma nog steeds piekert of we nu gezegd hebben dat mama in Parijs zit of thuis in bed lag, verander ik zo snel als ik kan het nummer in de gsm.

De telefoon van mama rinkelt. Ze loopt naar het bureau en roept vandaar dat het Queen Oma is, die op haar beurt helemaal verward opkijkt.

'Hij werkt weer,' zeg ik en ik geef haar de gsm terug.

'Wat heb je gedaan?' vraagt ze me.

'Niets, het nog eens geprobeerd.' Ik vind het vreselijk om zo tegen mijn oma te moeten liegen, maar het is beter dan haar de waarheid te vertellen.

'Waarschijnlijk duwde je steeds op een verkeerde toets.'

'Hoe kan dat nu?' Omdat ze het niet kan geloven, probeert ze het zelf nog een keer. En verbaasd als een peuter die iets nieuws ontdekt, kijkt ze naar de rinkelende gsm van mijn moeder.

'Ik begrijp er echt niets meer van,' herhaalt ze een paar keer en dan zegt ze: 'Het is zover.'

'Wat is zover?' vraagt mijn vader.

'Ik ben officieel oud.'

Zowel mijn moeder als ik schieten in de lach, maar een berispende blik van mijn vader doet ons onmiddellijk stoppen.

'Ik ga naar de dokter,' zegt Queen Oma terwijl ze opstaat.

'Waarom?' vraagt mijn vader. 'Je bent toch niet ziek.'

'Jawel,' knikt Queen Oma. 'Ik lijd aan dementie.'

'Och, iedereen vergeet toch eens iets,' sust mijn vader haar.

'Maar een oude vrouw die vergeet, is een demente vrouw.' Queen Oma neemt haar tas. 'Ik hoop dat ik nog weet waar ik woon.'

'Mama, overdrijf niet.'

'Dat is van al die inspuitingen,' en ze wijst met haar vinger naar haar voorhoofd en jukbeenderen. 'Ik bel nog wel, als ik het niet vergeet.'

STATUS: Vriendschap is … samen joggen. Of gaat dat te ver?

Dat joggen komt eigenlijk niet zo slecht uit, nu ik de volgende dagen in bikini zal doorbrengen. Kwestie dat ik er wat gestroomlijnd uitzie.

Het heeft even geduurd om de juiste joggingoutfit bij elkaar te zoeken. Violet wilde me wel wat sportkleren lenen, maar dat heb ik als fashionista wijselijk afgeslagen. Het is niet aan mij besteed om een spannende drie-kwartbroek te dragen met een al even spannend topje in een fluokleur en witte sportsokken in de enige flashy sportschoenen die ik heb. Ik begrijp dat meer getrainde loopsters zoals Violet dat als de ideale loopkleren zien, maar voor die keer dat ik meeloop, wil ik er vooral goed uitzien. Ik zal sowieso al belachelijk traag lopen en uitgelachen worden door andere lopers die ons met dubbele snelheid voorbijsteken. Ik wil dus op z'n minst in stijl lopen.

Na mijn hele inloopkast en die van mijn moeder uitgepluisd te hebben, draag ik nu een donkergrijze harembroek die wat ruim uitvalt omdat hij van mijn moeder is. Zelf heeft ze hem nog niet gedragen. Nog geen tijd gehad om te sporten, is haar excuus. Tussen mijn eigen t-shirts heb ik nog een oud en oversized model gevonden met een print van Michael Jackson erop. Volgens mij heb ik dat ooit gekregen van Hind, die het op haar beurt van haar vader cadeau kreeg. In tegenstelling tot haar vader is Hind geen fan van MJ. Ik kan het t-shirt wel appreciëren. En nu hij dood is, is het meer dan ooit vintage. Ik heb wel de kraag kapotgescheurd en ook de mouwen eraf gehaald, zodat het zwarte topje dat ik eronder draag beter uitkomt. De sportbeha heb ik van mijn moeder geleend, ook al zijn haar borsten drie cupmaten groter. Ik wil me behoeden voor hangborsten en volgens het vrouwenblad van mijn moeder is joggen een van de oorzaken van hangborsten bij vrouwen.

Violet en ik hebben afgesproken aan de vijver van het bos. Volgens haar is het beter voor mij als we daar rustig enkele rondjes lopen.

In de verte zie ik een zwarte verschijning met fluogroene strepen aan de zijkant van de broek en dito topje stretchen. Zonder twijfel is het Violet. Het is bijna angstaanjagend om te zien hoe soepel ze beweegt en zichzelf kan dubbelvouwen. Dat ze nog niet in tweeën gebroken is!

'Hey springveer!' roep ik haar lachend toe.

Ze komt overeind uit een beweging waarbij het leek alsof ze haar teennagels aan een microscopische inspectie aan het onderwerpen was.

'Hey Lou! Ben je klaar?'

Het enthousiasme en de energie van Violet zijn omgekeerd evenredig aan die van mij. Ik werp een blik op de vijver, die enorm groot is, wat ik wel wist, want het is niet de eerste keer dat ik naar hier kom. Maar als ik kom, is het om te picknicken en dan houd ik me niet zo bezig met de omvang van de vijver. De vijver is zo groot dat ik de volledige omtrek niet met het blote oog kan waarnemen en zelfs de mensen aan de overkant niet kan zien.

'Enkele rondjes, zei je?'

'We zullen rustig beginnen,' probeert Violet me gerust te stellen met een schouderklopje, waarop ze meteen begint te joggen.

Ik volg haar en de eerste honderd meter gaat het praten verbazend goed. We hebben het over mijn ouders, mijn reis, haar loopwedstrijd en dan pas snijden we het onderwerp Thomas aan.

'Wat ga je nu doen?' vraagt Violet.

'Ik weet het niet,' hijg ik en ik merk op dat het praten en lopen al wat moeilijker gaat.

'Ga je het uitmaken?' Violet heeft helemaal geen last van die combinatie. Omdat ik niet meer kan antwoorden, gebaar ik dat ik het niet weet.

'Wil je weer single zijn?'

Ik maak hetzelfde gebaar, want spreken kost te veel energie.

'Wat zegt je gevoel?'

Dat mijn hart dadelijk over zijn limiet gaat en ik hier zal neervallen, denk ik. Waarom stelt Violet zo veel vragen, ziet ze dan niet dat ik uitgeteld ben? Dan stop ik ineens. Ik probeer mijn adem op peil te krijgen en mijn hartslag tot rust te brengen. Als mensen me zo zien, denken ze dat ik net een marathon gelopen heb, terwijl ik nog niet eens de hele vijver rond ben gelopen. Ik drink gulzig van een flesje water dat Violet meegebracht heeft en giet de laatste druppels in mijn nek, want ik zweet me te pletter.

'Gaat het?' vraagt Violet.

Ik werp haar een blik toe of ze wel beseft wat een domme vraag het is.

'Loop nog maar wat,' hijg ik, 'ik ga daar in het gras liggen.' Sloffend wandel ik naar het gras, waar ik me languit neerleg.

'Oké,' zegt Violet, 'ik zal wat doorlopen.'

In een serieus tempo loopt Violet verder. Als ik eindelijk ben bekomen, loopt ze me al een eerste keer voorbij. Ze roept en wuift alsof het niets is.

Ik had moeten weten dat joggen niet de beste manier was om het over relatieproblemen te hebben. Maar aan de andere kant, wat valt er nog te zeggen over Thomas en mij? Violet heeft gelijk, ik moet mijn gevoel volgen en wat dat gevoel is, zal ik morgen zien.

Donderdag 8 april

STATUS: Is de luchthaven een geschikte plek om een relatie te beëindigen?

Met mijn krullen opgestoken en een witte sjaal eromheen gedrapeerd, mijn wimpers aangelegd met zwarte mascara, een grijze zijden jurk met een zwart strikje om mijn taille en mijn gladiatoren sandalen aan mijn voeten ben ik helemaal klaar om te vertrekken. Mijn koffer staat al zeker een uur klaar in de gang.

Paula heeft me al twee kopjes koffie ingeschonken. Normaal zou ze dat nooit doen, maar ik denk dat ze blij is dat ze terug is. Voor zover wij haar begrepen hebben, heeft ze beloofd dat ze tijdens onze vakantie grote schoonmaak zal doen en Spinner zal verwennen. Dat ze voor Spinner zou zorgen, verraste me wel. Ze is niet zo'n kattenliefhebster. Spinner en Paula zijn niet de beste vrienden.

Buiten toetert Benny met zijn wagen.

'Komaan, lieverd, ze zijn er,' zegt mijn moeder terwijl ze een grote koffer door de gang naar de deur sleept. Het is weer grote liefde tussen mijn ouders.

Ik spring op, zet mijn kopje op het aanrecht en loop naar mijn koffer in de gang. Papa sluit ondertussen de bureaudeur achter zich, want niemand mag het bureau binnen, ook Paula niet. Ze mag alleen stofzuigen als hij erbij is.

Mijn vader doet de voordeur open en sleurt met veel moeite de eerste koffer naar de wagen. Ik geef Paula snel een afscheidszoen. Sinds J&B haar uit huis gooiden, wil ze hen niet meer zien, dus blijft ze in de keuken.

Tijdens de rit naar de luchthaven somt Benny alles op wat je volgens hem moet meenemen op vakantie. Hij wil zeker zijn dat we niets vergeten zijn. Mijn moeder antwoordt telkens met 'check', zelfs als hij vraagt of we een reiswekker mee hebben, wat niet het geval is, want ze knipoogt naar mij. Wie neemt er nu een wekker mee op vakantie als de vakantie bedoeld is om uit te rusten?

Wanneer we op de luchthaven aankomen, ben ik de laatste die mijn koffer uit de auto neemt. Juist nadat ik de deur dichtsla, biept mijn gsm. Ik lach al bij het idee dat het Hind of Violet is om me een fijne reis te wensen, ook al hebben ze dat al verschillende keren gedaan. Ze zijn een beetje jaloers, maar ze gunnen het me. Ik open het bericht en zie dat het Thomas is.

IK BEN GELAND! TOT ZO X

'Puree!'

'Wat is er?' vraagt Benny.

'Thomas is hier.'

'O, leuk! Of niet?' herpakt hij zich.

'Ik was het helemaal vergeten.'

'Hoe kun je je vriendje nu vergeten?'

Benny slaat de nagel op de kop. Inderdaad, hoe kan ik hem vergeten? Misschien beschouw ik hem onbewust niet meer als mijn vriendje. Uiteindelijk heeft hij ook met mijn gevoelens gespeeld door te zeggen dat hij komt, dan niet en dan toch wel. Het was wel niet zijn schuld, maar als hij meer om mij zou geven, dan had hij op z'n minst meer moeite gedaan om vroeger te komen.

Ondertussen lopen mama en papa al naar de vertrekhal. Benny en ik sjokken er met de koffers achteraan.

'Je hebt nog tijd,' zegt Benny dan, 'ga snel naar de aankomsthal.' Hij moet mijn gepieker opgemerkt hebben.

'Ik weet het niet goed,' twijfel ik, 'ik stuur hem wel een bericht.'

'Om wat te zeggen? Dat het uit is?' Benny kijkt me verontwaardigd aan.

'Een mailtje dan?' aarzel ik.

'Tss,' klinkt het vol afschuw tussen zijn tanden door.

Hij heeft gelijk. Niemand wil gedumpt worden via een sms of mail.

'Oké, ik ga al.'

Er verschijnt weer een glimlach op het gezicht van Benny. 'Respect, girl,' zegt hij en hij neemt mijn trolley in zijn andere hand en sleurt alleen zowat veertig kilo met zich mee.

Ik ren naar de aankomsthal, die een verdieping lager ligt. Volgens het tv-scherm is de bagage uitgeladen, wat wil zeggen dat Thomas en zijn familie hier elk moment buiten kunnen komen.

Aan de andere kant van de hal zie ik zijn tante staan, ik ken ze nog van zijn afscheidsfeestje. Een vriendelijke vrouw met een hardwerkende man. Ze zijn kinderloos, maar Thomas weet niet of het bewust is of dat ze geen kinderen kunnen krijgen. Ze is alleen gekomen. Haar kleine, frêle lijf leunt tegen de ijzeren afscheiding die de familieleden, vrienden en taxichauffeurs van de gelande passagiers moet scheiden.

In plaats van naast haar te gaan staan, blijf ik aan de andere kant. Ik houd haar in het oog en niet de deuren waardoor Thomas en zijn ouders zullen verschijnen. Het open- en dichtgaan van die deuren maakt me zenuwachtig. Het is precies een prijsdeur van een spelshow. Je weet niet of je de hoofdprijs of de troostprijs zult winnen. Pas als de deur openschuift, ben je er zeker van of je met de auto of met de step naar huis mag.

Ik zie straks wel wat ik doe met Thomas. Misschien hoef ik het hem niet te zeggen, misschien hoef ik hem zelfs niet te spreken en is een glimp opvangen genoeg. Benny laat ik dan wel in de waan dat ik een respectvolle lady ben.

De tante reikt met haar hand in de lucht en wil iets roepen. Zijn ze door de deuren gestapt? Maar dan wordt het plots donker voor mijn ogen.

'Wie ben ik?' hoor ik iemand in mijn oor fluisteren.

Ik schrik en wring me met een gilletje los.

'Thomas?' Stomverbaasd en totaal verrast kijk ik hem aan. Dit had ik niet verwacht en vooral niet gehoopt. Nu heb ik geen andere keuze dan het hem te zeggen. Maar hoe? Ik kan toch onmogelijk meteen zeggen dat het uit is tussen ons. Aan de andere kant ik heb zelf wel een vliegtuig te halen.

'Babouchka!' glundert hij en hij spreidt zijn armen open om me vast te pakken. 'Zo leuk dat je er bent.'

'Eh ja,' is alles wat ik kan zeggen.

Als Thomas me loslaat, is het de beurt aan zijn ouders. Ondertussen komt de tante aangelopen en ze kust hen alle drie. De ouders van Thomas volgen haar onmiddellijk, terwijl hij bij me blijft staan.

'Ga je met ons mee?' vraagt hij met zijn arm om mijn schouder.

Nu komt het moment, denk ik. Ik kijk snel op de grote wandklok in de hal, veel tijd heb ik niet meer, want ik moet nog inchecken.

'Dat zal niet gaan.' Ik durf hem niet recht in de ogen kijken, ik vind het laf van mezelf, maar het is dan ook de eerste keer in mijn leven dat ik een eind maak aan een relatie.

Thomas kijkt me speels beteuterd aan, hij voelt de donderwolk nog niet hangen.

Ik weet niet hoe ik eraan moet beginnen. 'Eh … ik …' meer krijg ik er niet uit.

Dan verschijnt Benny in de aankomsthal. Ik zal hem eeuwig dankbaar zijn voor dit moment. 'Loutje!' roept hij uitgeput.

'Ha!' roept Thomas opgelucht. 'Hij heeft je gebracht en daarom kun je niet mee.'

Benny blijft op een afstand staan en gebaart dat het tijd is. Ik zou het inderdaad zo kunnen laten, maar ik heb geen zin om een hele vakantie in mijn hangmat te moeten denken hoe ik Thomas ga zeggen dat ik liever weer single ben. Het is nu of nooit.

'Het zit zo, Thomas,' begin ik nadat ik een grote hap zuurstof gepakt heb, 'ik vertrek dadelijk op vakantie met mijn ouders.'

'O, jammer,' zegt hij teleurgesteld, 'maar we zien elkaar daarna toch?'

'Ja, maar dan als vrienden.' Zou hij de boodschap begrepen hebben of is het te cryptisch? Juliet beweert dat jongens alleen maar directe boodschappen begrijpen. Ik vind het zo stom om de woorden 'het is uit tussen ons' te gebruiken. Die klinken zo puberaal, maar we zijn ook pubers, dus misschien moet ik ze toch maar gebruiken.

In mijn ooghoek zie ik hoe Benny onrustig op zijn uurwerk kijkt. Ik wil mijn vlucht echt niet missen, na deze rotweek wil ik eindelijk eens iets leuks doen en in de zon op een parelwit strand liggen, voldoet daar helemaal aan.

'We zijn toch al vrienden?'

'Ja, dat is waar, maar …' Ik kan mezelf wel een schop verkopen, waarom durf ik het niet te zeggen, dadelijk zit ik toch op een vliegtuig richting Honolulu.

'Loutje!' Het geduld van Benny raakt op.

'Ik denk dat het beter is dat we het uitmaken, maar ik wil zeker nog vrienden zijn,' flap ik er snel uit. Ziezo, dat is gezegd. Ik heb de verschrikkelijke zin gezegd.

Thomas staart me perplex aan. Hij zwijgt, wat heel vervelend is, want ik wil dat hij iets zegt en veel tijd heb ik niet meer. Ongeduldig wacht ik op een reactie.

'Zeg iets,' vraag ik dan.

'Wat moet ik zeggen?'

'Ik weet het niet. Ik heb dit ook nog nooit gedaan.'

Thomas slaat verbijsterd zijn handen in zijn haar. Ik kijk even naar Benny, die me met een knipoog een omhoogstekende duim toewerpt. Ik hoop dat Thomas dat niet gezien heeft.

'Sorry, maar ik moet gaan, anders mis ik mijn vlucht.'

Thomas is helemaal aangeslagen, wat uiteraard te begrijpen is, ik had het ook liever anders gezien. Tenslotte ben ik niet verhuisd naar het koude Moskou, dus dat het fout gelopen is, is niet geheel mijn schuld.

'Het is mijn schuld,' verwijt Thomas zichzelf. Hij bijt op zijn lip. O nee, er gaan toch geen tranen komen? Ik heb daar helemaal geen tijd voor.

'Nee, helemaal niet,' stel ik hem gerust, 'het ligt aan mij. Ik zie mezelf niet in Moskou wonen.' Ik flap er maar iets uit om zijn schuldgevoel en tranen te beperken, maar tegelijk is het wel ergens waar. Wie wil er nu in Moskou wonen?

'Maar wie zegt dat ik daar blijf!'

Puree! Op die zin had ik niet gerekend. Misschien was dit toch niet de juiste plek om met hem te breken. We hebben geen tijd meer om hierover te praten. Wanhopig kijk ik naar Benny. Kan hij me niet helpen? Als volwassene moet hij hier toch ervaring mee hebben.

'Sorry, Thomas.' Ik heb echt met hem te doen. 'Ik heb geen zin meer in een relatie, we zijn nog zo jong.' Ik gruwel als ik mezelf de woorden hoor uitspreken.

'Loutje!' Benny komt nu aangelopen. 'We moeten echt gaan. Sorry, Thomas,' verontschuldigt hij zich.

Thomas houdt zich sterk en geeft me als een stoere gast een high five. 'Vrienden?'

Ik lach naar hem. 'Vrienden,' herhaal ik.

Benny sleurt me daarna met mijn arm naar de trappen om weer naar de vertrekhal te gaan. Ik kijk nog eens om naar Thomas. Mijn hart breekt. Hij heeft het moeilijk. Was dit wel verstandig van mij? Ik laat hem zonder verdere uitleg achter en wanneer ik terug ben, is hij alweer vertrokken naar Moskou.

'Hij slaat zich er wel door,' troost Benny me.

'Ha, prinses!' roept papa glunderend en hij houdt mama stevig om haar middel vast. 'We waren je kwijt.'

Benny knipoogt eens naar mij. Ik lach terug. Benny en ik delen iets voor de rest van ons leven. Hij was erbij toen ik brak met mijn eerste echte vriendje.

'Kom, tijd om te vertrekken!'

Eenmaal ingecheckt, begeven we ons naar de douane, waar we afscheid nemen van Benny. Mijn ouders geven hem een vluchtige kus, ik blijf iets langer aan zijn wang plakken.

'Bedankt, hè!' zeg ik.

'Graag gedaan, darling.' Hij knuffelt me nog eens en pinkt onmiddellijk daarna een traan weg.

'Nog zeven nachtjes slapen en we zijn terug,' lach ik met hem.

'O, darling,' zegt hij, waarop hij zijn zakdoek bovenhaalt, 'ik kan niet tegen afscheid nemen.'

'O, kijk daar!' roep ik verwonderd uit en ik wijs naar iets achter hem. Benny draait zich om en kijkt wat in het rond.

'Wat? Waar?' vraagt hij zoekend. Ondertussen ren ik weg.

Als hij zich omdraait, wuif ik in de verte naar hem en ik roep: 'Grapje!'

Het was de enige manier om aan zijn meligheid te ontkomen. Ik schuif naast mijn ouders aan om vervolgens zonder problemen voorbij de paspoortcontrole te wandelen. Honolulu is al een stukje dichterbij.

Met mijn iPod in mijn oren overbrug ik het lange wachten aan de terminal. Als 'Single Ladies' van Beyoncé in mijn oren klinkt, zet ik het volume wat hoger. Ik neem mijn gsm en breng mijn beste vriendinnen op de hoogte van mijn nieuwe relatiestatus.

NIEUWE RELATIESTATUS: SINGLE!
DUS MOCHT THOMAS BELLEN ...
X

Ik kan hen maar beter waarschuwen, want ik kan me indenken dat Thomas zich zijn uitstapje naar België anders had voorgesteld. Maar zo is het leven, ik had mijn vakantie ook anders voorgesteld en kijk, uiteindelijk zit ik bijna op een vliegtuig richting paradijs. Ik vrees wel een beetje dat Hind en Violet het slachtoffer zullen zijn van mijn beslissing.

Maandag 12 april

STATUS: Het einde of een nieuw begin?

In mijn gele zomerjurkje met daaronder mijn rode polkadotbikini begeef ik me naar de lobby van het hotel. Violet zou me via mail op de hoogte houden van de gebeurtenissen op het thuisfront. Ze wil voorkomen dat we als vriendinnen uit elkaar zouden groeien omdat we al een week nauwelijks met elkaar gepraat hebben en ik nu nog een week weg ben. Anders zou dat betekenen dat we twee weken uit elkaars leven zouden missen en dat zou een ramp zijn!

'Good morning, miss Lou,' verwelkomt Jay, de receptionist, me zoals de voorbije dagen.

'Good morning, Jay!' zeg ik opgewekt. Ik heb met zowat iedereen van het personeel al kennisgemaakt, omdat ze me meestal alleen zien; aan het ontbijt, aan het zwembad, op het strand en zoals nu in de internetkamer naast de lobby.

Mijn ouders moesten blijkbaar naar de andere kant van de wereld vliegen om dan de hele dag in hun kamer te blijven en de optie roomservice volop te benutten.

In mijn mailbox is er naast een hoop spam, reclame en een mailtje van Violet ook een mailtje van Thomas. Ik dacht dat ik duidelijk was geweest op de luchthaven. Misschien was ik een beetje hard tegen hem, maar ik had dan ook niet veel tijd. Ik twijfel of ik het open zou doen. Eerst het mailtje van Violet lezen, daar heb ik meer zin in.

Van: Violet Maenhout <ultraviolet@hotmail.com>
Aan: Loulou Roosenbroeck <loulou.roos@hotmail.com>
Datum: 11 april 2010 18:27
Onderwerp: Update

Hey Lou!

Ik ben zo jaloers op jou! Het regent hier al sinds jullie vertrokken zijn. Btw, Thomas is langs geweest, hij wilde met mij praten. Ik heb Matteo op hem af gestuurd. Het leek me beter dat jongens onder elkaar dat zouden bespreken. Matteo zei dat Thomas je nog steeds terug wil.

Papa heeft gezegd dat als ik een goede wedstrijd loop, ik volgend jaar mag deelnemen aan de marathon van New York! Ik werd helemaal wild toen hij dat zei, dus ik train op dit moment als een gek. Nog twee weekjes en dan is de wedstrijd.

Hind is nog steeds verslingerd aan Théo. Ik zie haar amper, maar zodra school begint, zal het wel gedaan zijn met hem, want hij gaat in Parijs naar school! Dit was het nieuws van het thuisfront ;-)

Ultradikke kussen
Violet x

Van: Thomas Swaelens <t.swaelens@hotmail.com>
Aan: Loulou Roosenbroeck <loulou.roos@hotmail.com>
Datum: 11 april 2010 17:42
Onderwerp: Wij?

Babouchka, pumpkin,

Ik mis je en daarom heb ik besloten dat ik terug in Brussel kom wonen, bij mijn tante. Ik wil niet meer naar Moskou. Ik wil hier bij jou zijn en weer samen leuke dingen doen!!!!!!!!!!!! Happy????????? Nu moet je niet meer zitten tobben of tranen laten omdat het gedaan is tussen ons! Geniet van je vakantie en ik wacht op je.

Jouw liefste

Ik heb nog geen enkele traan gelaten en ik geniet met volle teugen. Het is duidelijk dat Thomas me niet kent. Denkt hij nu echt dat ik mijn vakantie ga verpesten door te tobben? Dat verdient dit prachtige eiland niet! Bovendien heb ik heel veel zin in het singleleven. Ik selecteer Thomas zijn mail en druk op VERWIJDEREN. Ik sluit de computer af en ga weer verder met mijn dagelijkse bezigheid van de vakantie.

Dit is nu de realiteit: mijn ouders gedragen zich als een stel verliefde pubers en zijn zich niet meer bewust dat ze nog een dochter hebben. Maar dat vind ik niet erg, ik ben tenslotte vijftien, single en ik lig op een parelwit strand ergens aan de evenaar, slurpend aan een verse papaja-mangossmoothie. Een paar meter achter mij staat Louis met een gespierd en bloot bovenlijf verse sapjes te mixen.

Als ik even omkijk vanuit mijn ligstoel, perst hij een limoen boven de blender uit. Wauw! Met één vuistkneep druppelt het limoensap erin. Een binnenpretje overvalt mij wanneer ik mijn blik weer op de oceaan richt. Loulou en Louis. Het begin van onze naam hebben we al gemeen.

Identity file
van een intellectuele, zelfstandige en stabiele Hollywooddiva in wording

STATUS OP 12 APRIL: Aloha!

FILMS DIE IK NOG WIL ZIEN: Films waarin de hoofdrol is weggelegd voor Loulou Roosenbroeck.

BOEKEN DIE IK NOG MOET LEZEN: De Vogue van deze maand ligt naast me klaar om verslonden te worden en mijn cursus fysica helaas ook.

SPORT DIE IK EEN TWEEDE KANS OF GEWOON EEN KANS GEEF: Joggen is uitgesloten, ik word al moe als ik er nog maar aan denk. Is hangen in de hangmat ook een sport? En shoppen? Onderschat nooit de totale afstand die je tussen alle winkels in een winkelstraat aflegt.

METAMORFOSE DIE IK WIL ONDERGAAN: Ik denk nog steeds na over de borstimplantaten, maar volgens google moet ik minstens achttien zijn. Wat jammer!

IETS WAT IK NIET DURF EN TOCH GA DOEN: Aan Louis vragen of hij zin heeft om mee te gaan zwemmen ;-)

NIEUW STOPWOORDJE: Aloha! Klinkt goed en wat intonatie betreft, kan ik nog alle kanten uit. Ik vrees dat 'punaise' en 'puree' erin gebakken zit.

NIEUWE OPENINGSZIN: 'Ik ben single en wil dat voorlopig zo houden.'

ALTIJD IN MIJN TAS BIJ ME HEBBEN: Een paar reserveschoenen, wat wil zeggen dat ik een grotere tas moet hebben.

VERVELENDE GEWOONTE DIE IK WIL AFLEREN: Ik vrees dat ik nog steeds post-itbriefjes zal moeten plakken. Mijn ouders vinden het blijkbaar geen vervelende gewoonte, aangezien ze die papiertjes amper opmerken. Het is Paula die ze steeds overal aftrekt en in de vuilnisbak gooit. Haar uitleggen waarvoor het dient, gaat te ver.

VERSLAAFD AAN: Koffie en Facebook. Het is moeilijk om ervan af te kicken, daarom is het ook een verslaving. Maar waarom zou ik ermee stoppen? Mijn lever kan de grote hoeveelheid koffie nog steeds aan en Facebook gebruik ik als ode aan Remy. Hij zou zich niet zo alleen gevoeld hebben als hij in het digitale tijdperk geleefd had.

GEWOONTE DIE IK WIL AANLEREN: Filmscènes bestuderen waarin relaties worden stopgezet, zodat ik de volgende keer beter voorbereid ben. Ik hoop natuurlijk dat er geen volgende keer meer is en dat het meteen de ware is.

BEAUTY MUSTHAVE: Nagellak in verschillende zomerkleurtjes.

FASHION MUSTHAVE: Meerdere bikini's en fancy teenslippers met antislip, want elke ochtend spuiten ze de stenen van het wandelpad nat en de eerste ochtend heb ik aan den lijve ondervonden dat het dan een glijbaan kan worden. Het gevolg is een blauwe plek op mijn rechterbil!

WAT IK ZEKER NOG WIL DOEN: Kussen. En Louis lijkt me de ideale persoon om daarmee te starten.

Wil je reageren op dit verhaal? Of wil je meer informatie over het boek, de schrijfster of andere boeken van haar? Surf dan eens naar de blog van Loulou of stuur haar een mailtje!
www.myspace.com/loulouroosenbroeck
loulou.roos@hotmail.com

Loulou in love

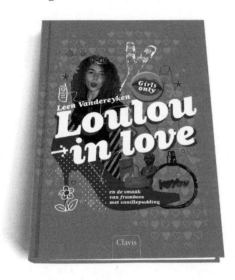

Twaalf maanden lang leef je mee met Loulou Roosenbroeck. Loulou is de dochter van een bekende TV-figuur en een modejournaliste en ze is een echte fashionista in wording. Samen met haar twee beste vriendinnen schippert ze tussen puber en vrouw-zijn, tussen sneakers en pumps. Twaalf maanden lang gevuld met grote dromen en kleine verlangens die elke tiener koestert. Loulou en haar vriendinnen volgen in oktober bijvoorbeeld een ramadandieet, proberen maandenlang Mister X te strikken (zelfs via MySpace), kijken uit naar het schoolfeest in ware Hollywoodstijl in april en delen het hele jaar hun knotsgekke avonturen, modegrillen, verliefdheden én vooral frambozen met vanillepudding.

Een wervelend en dolkomisch verhaal om van te smullen. Deze pageturner trekt je vanaf de eerste bladzijde mee in het dolle leven van Loulou.

Loulou *het leven van een* dramaqueen

Loulou is dit schooljaar geen onzekere veertienjarige met sneakers meer, maar een zelfverzekerde vijftienjarige met pumps. Of dat zou ze toch willen zijn. Maar haar leven loopt niet altijd over rozen. Dankzij haar bekende vader wordt haar doen en laten op de voet gevolgd door een cameraploeg, die het dolle leven van de familie Roosenbroeck filmt. Zowel voor als achter de camera stort Loulou zich weer in een hoop knotsgekke avonturen en de bloopers stapelen zich op. Tot overmaat van ramp vertelt Thomas, op wie ze tot over haar oren verliefd is, dat hij voor een jaar naar Moskou gaat. Het vraagt veel vriendschap, liefde en doorzettingsvermogen vooraleer Loulou inziet dat er geen rozen zonder doornen zijn.

Een romantisch en hilarisch verhaal over de grote dromen en kleine tegenslagen van een eigenzinnige tiener. Het leven zoals het is: dramaqueen Loulou!